THE DRAGON'S EYE

ドラゴン・アイ

著／ドゥガルド・A・スティール　　文／赤木かんこ

For Sarah Ketchersid and everyone
at Candlewick Press and Templar Publishing for
their unswerving enthusiasm and dedication in
helping to create and produce the Ologies.
And for Nghiem Ta, Ology Alchemist.
Dugald A. Steer

For the women in my life:
my wife Pauline, my daughters Lydia and Lauren,
and my mother Janet; each of them more precious
to me than they will ever know.
Douglas carrel

⚜

THE DRAGONOLOGY™ CHRONICLES-THE DRAGON'S EYE

First published in the UK in 2006 by Templar Publishing,
an imprint of The Templar Company plc,
Pippbrook Mill, London Road, Dorking, Surrey RH4 1JE, UK.

Designed by Jonathan Lambert & Nghiem Ta.
Dragonology™ is a trademark of The Templar Company plc.

Japanese translation rights arranged
through Toppan Printing Co., Ltd.
Japanese edition published by Imajinsha Co., Ltd., Tokyo, 2009
Manufactured in Japan

目次

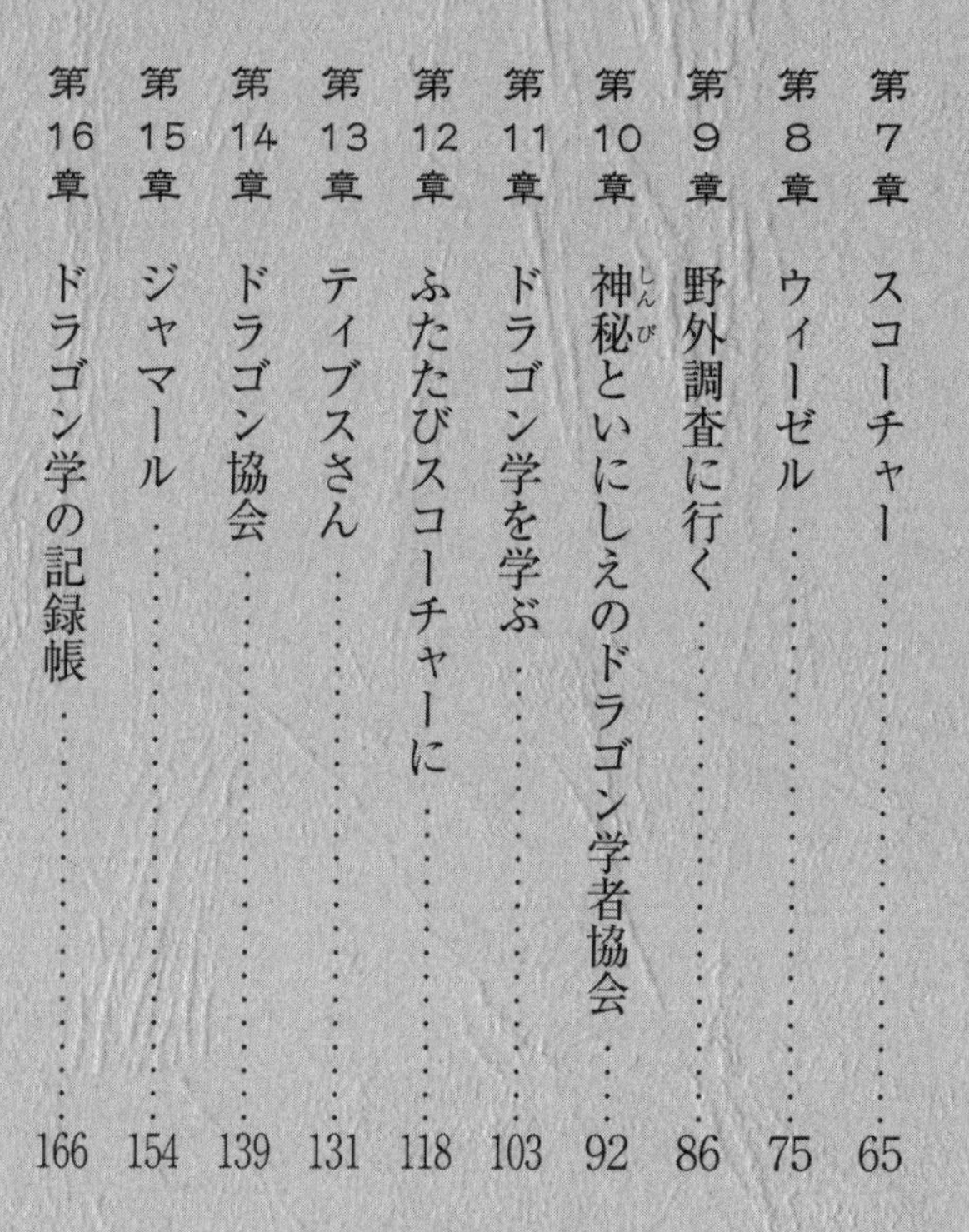

種名：ヨーロッパドラゴン
4本の脚・大きな翼
【スコーチャー／スクラマサックス／ガーディアン／イドリギア】

種名：ナッカー
4本の脚・退化した翼
【ウィーゼル】

種名：ワイバーン
2本の脚、大きな翼
【ジャマール】

ドラゴン学の
イギリス諸島地図

ここに載せる地図は、アーネスト・ドレイク博士と、ダニエル・クック、ベアトリス・クックが今回の冒険で訪れた場所を示したものである。ドラゴン学のしかるべき講義を受けていない人間がこの地図を手に入れ、ドラゴンが危険にさらされることのないよう、実際にドラゴン発見の手がかりとなる情報は、いっさい排除してある。

万が一、実際にドラゴンの痕跡を発見した場合、ドレイク博士の著書に従い、じゅうぶんに注意し調査を続けねばならない。

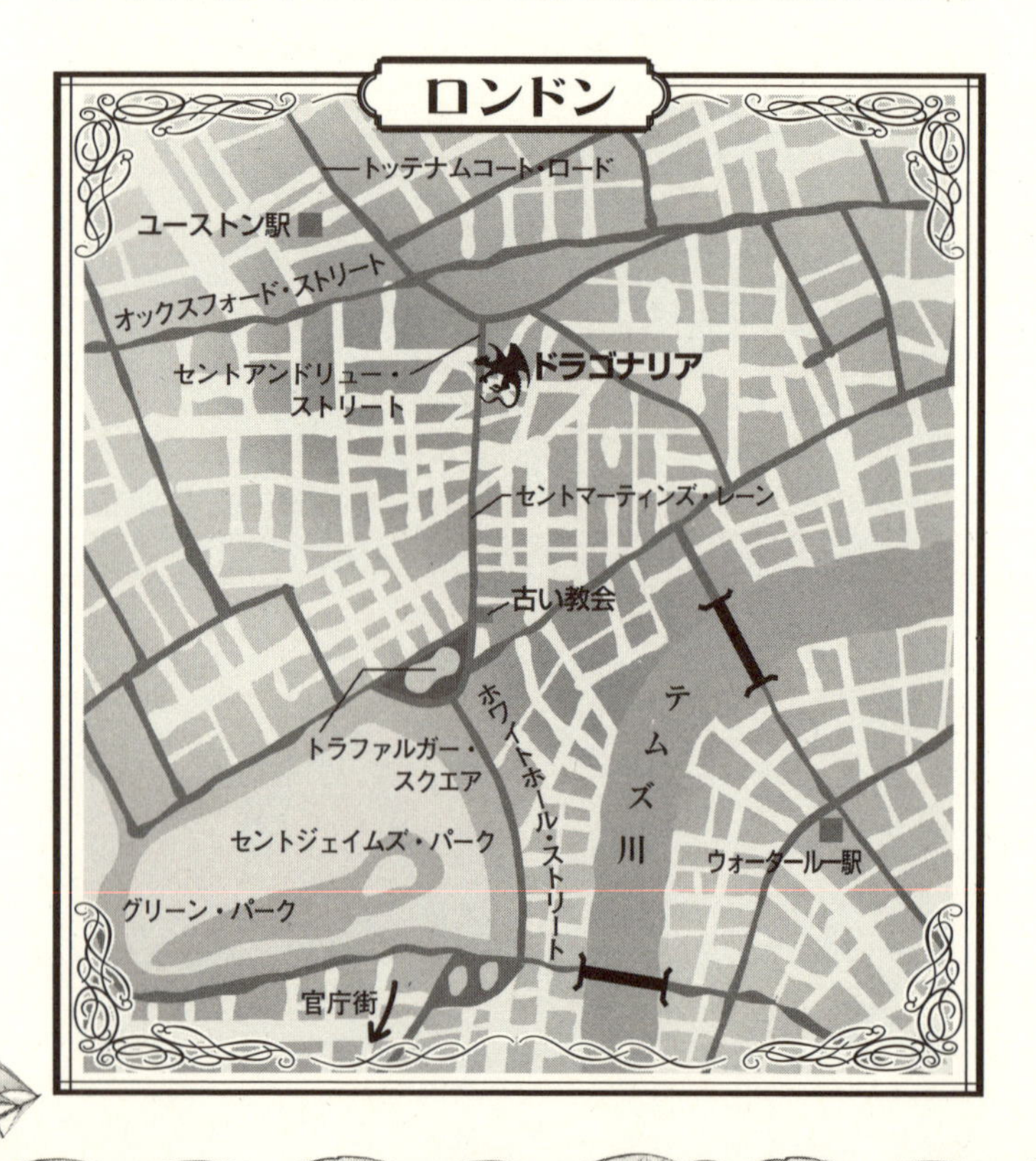

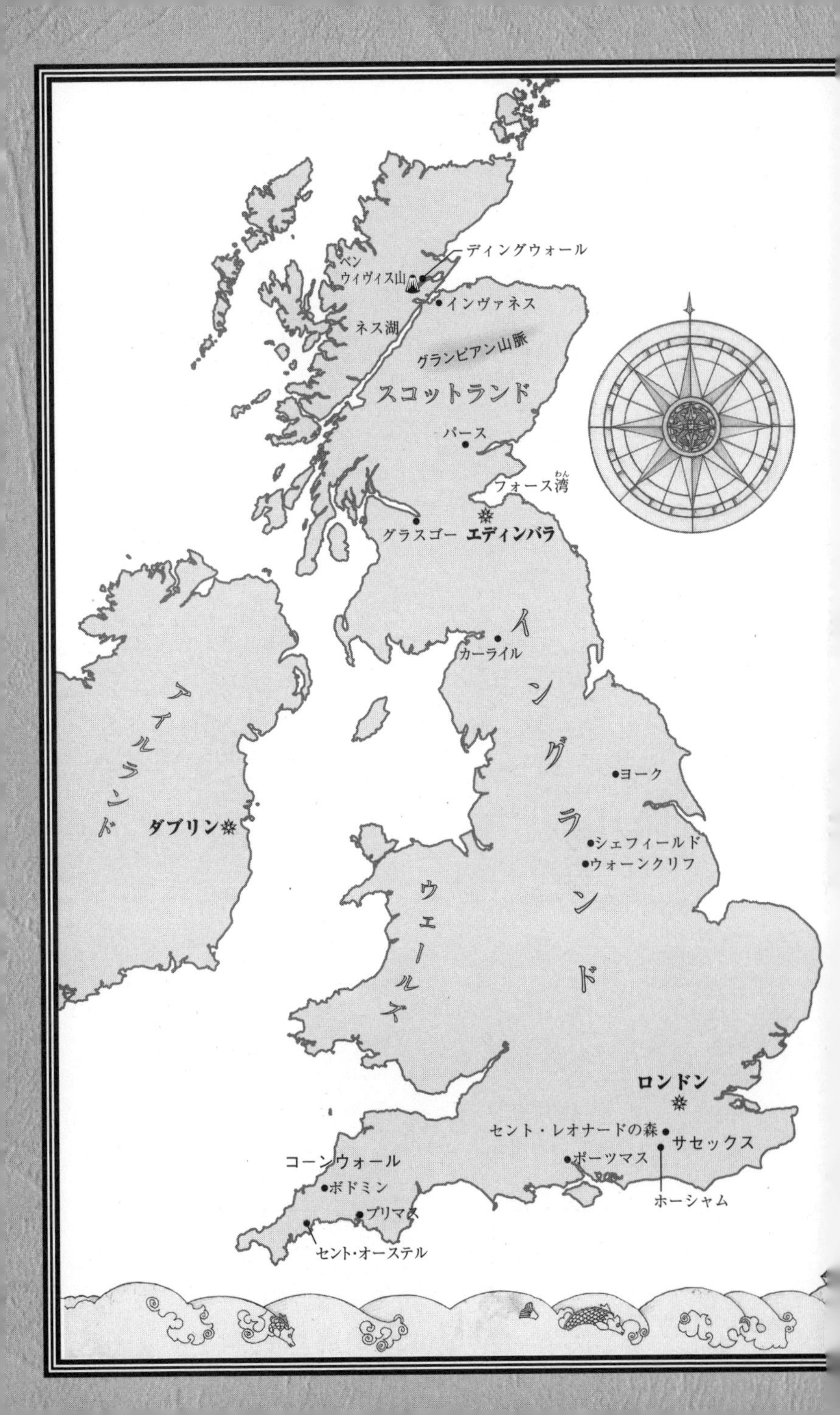
ディングウォール
ベン
ウィヴィス山
インヴァネス
ネス湖
グランピアン山脈
スコットランド
パース
フォース湾
グラスゴー
エディンバラ
イングランド
カーライル
アイルランド
ダブリン
ヨーク
シェフィールド
ウォーンクリフ
ウェールズ
ロンドン
セント・レオナードの森
サセックス
ポーツマス
ホーシャム
コーンウォール
ボドミン
プリマス
セント・オーステル

プロローグ —ロンドン—

1882年7月7日の夜明け前……。

ほの暗いガス燈（とう）のぼんやりしたオレンジの灯（あか）りに照らされ、ロンドンの街（まち）はまだ、海の底のように暗く、静かに眠（ねむ）っていた。

その人気（ひとけ）のないトッテナムコート・ロードから、オックスフォード・ストリートに、4頭立ての大型の馬車がそっと、顔を出した。

プロローグ

全身黒塗りの、たいそう凝った造りの馬車で、一目で上流階級の自家用馬車だと知れたが、不思議なことに紋章はどこにもついていない。

御者台には屈強な、目つきのするどい、何にも動じなさそうな中年の御者が一人。

馬車にはこれまた、たいそう立派な、よく手入れされた馬がつけられていたが、これが落ち着きなく鼻をならし、不安そうに足ぶみするのを小声でなだめていた。

馬車の後ろの荷物台には、しっかりとくくりつけられた、大きな木箱が一つと、１４、５歳の少年が一人。

顔立ちが似ているので、御者台の御者とはおそらく親子だと思われた。

年の割には大柄で、父親によく似て度胸もよさそうだが、いまは緊張した面持ちで荷台に踏ん張っている。

ようやくなだめられた馬たちが動き出し、馬車はその巨体ができうるかぎり静かにセントジャイルス方向へ走り出した。

もしこの朝、馬車を見かけた注意深い通行人がいたとしたら、その木箱から何本か、かすかに煙が上がっているのを不審に思ったことだろう。

黒い馬車は、その後セントアンドリュー・ストリートを注意深く走り、ワイバーン・ウェイに入ると、速度を落とした。

黒い馬車の中から鋭くたたく音がしたので御者は馬車を止めた。

すると、馬車の窓から真っ黒な杖の先がぬっと突き出され、目の前の、奇妙な、小さな店を指し示した。

朝の薄明かりの中で、馬車の奥に真紅の光が二つきらめいて見えたが、それは、杖の持ち手についている派手なドラゴンの頭にはめこまれたルビーの瞳の輝きで、これまた注意深い人ならば、指し示された店の薄暗いショーウィンドーにも、それと似たようなドラゴンがいくつも飾られているのに気がついたことだろう。

御者は、すぐに引き返せるように馬車をまわしてから、馬車を降りて後ろにまわり、少年に無言で合図をすると、二人がかりで荷台にくくりつけてあった大きな木箱を、ゆっくりと歩道に下ろした。

と、その瞬間（しゅんかん）、木箱がぐらっとゆれ、中からかすかに音がした。

思わずたじろいだ少年があとずさりすると
「はやくしろ！」

ふたたび馬車の中から黒い杖の先が現れ、いらだたしげに店のほうを指し示した。

御者は少年と二人で再び木箱を持ち上げると、店の入り口の前まで運びこみ、ドアの前にそっと置いた。

そのあと少年は、こぶしでトントンとドアをたたいた。

やがて、二階から物音がして、この家にだれかがいることがわかると、あわてて馬車の後ろに飛び乗った。

鞭（むち）がピシリと鳴り、馬車は来た道を勢（いきお）いよく走り去った。

と、そのとき、ひげをはやし、古ぼけたナイトキャップをかぶった60歳くらいの男が、店の二階の窓から顔を出した。

黒い馬車はちょうどワイバーン・ウェイを抜け、セントマーティンズ・レーン方面へ角を曲がっていくところだった。男は、馬車の消えた方向をしばらく眺めていたが、バサッという音が聞こえたので下を見た。ドアの前には、無造作に木箱が置かれていた。

木箱は、いまでは大きくゆれている。

おまけに箱の側面に開いている穴から、細い煙が勢いよく立ちのぼっていた。

＊

黒い馬車はそのままホワイトホール・ストリートから官庁街へと曲がり、静まりかえった、大きな官邸の黒い扉の前で止まった。

コートの襟を立て、シルクハットをかぶった背の高い男が降りてくる。

手には、ドラゴンの頭がついた杖を握りしめ、あたりにだれもいないことを確かめると、杖のドラゴンで扉をコツコツとたたいた。

返事がない……。

もっと強くたたいた。

やはり返事がない……。

さらに強くたたこうとしたとき、ようやく扉が細く開き、この時間にもかかわらず、一部の隙もなく正装した執事が低い声でたずねた。

「どちらさまでしょうか？」

「エベニーザー・クルックの代理で来た者です。閣下に急ぎお伝えしたい、重要なお知らせがあります」

背の高い男が早口にそうささやくと
「申し訳ございませんが、男爵さまはまだどなたともお会いになりません」

「緊急事態なのです。すぐにお取次ぎを――」

「どのようなご用件で？」

「あぁ……」

背の高い男は、ため息をつくと、いらついていった。

「残念ながらそれは申し上げられません。直接申し上げたいのです。お目にかかれるようになりましたら、すぐにクルックの名前をお伝えください。必ず会ってくださるはずです！」

執事は表情も変えずに扉を閉め、家の中に入っていったが、すぐにもどってきた。

「すぐにお会いになられるそうです」

執事は背の高い男を家の中に招き入れながら、注意深く外の黒い馬車に目をやった。

プロローグ

馬車の中にはもう一人、青白い肌に黒い髪の、美しい女性の客が嫣然とほほえんで、乗っていた。

第1章　ワイバーン・ウェイ

ドラゴン学を研究するのに必要なのは、
慎重さと勇敢さ、それに誠実さ、である。

１８４２年１月　ドレイク博士の日記より

1882年の7月まで、ぼくはドラゴンのことなんて考えたこともなかった。ぼくはそのとき12歳（になったばかり）。両親と姉のベアトリスに会うために、ロンドンのウォータールー駅に向かっている途中だった。

ぼくは、もう4年も両親に会っていなかった。

二人はずっとインドにいっていて、そのあいだ一度しか帰ってこなかったからだ。

でもこの夏は、ぼくたちと一緒に過ごすために帰ってくる、といってきたので、ぼくは今度の夏休みを特別楽しみにしていた。姉のベアトリスはぼくより一つ年上（正確には1年と8か月だ。ぼくの誕生日は6月でベアトリスは10月だから）で、いま13歳。

6年前に両親が仕事の都合でイギリスを離れるときに、ぼくたちは違う寄宿学校へ入れられた。

でも長い休暇のあいだは、ぼくたちはいつもどこかで一緒に過ごした。親戚の家のこともあったし（これは最悪だった。死にそうに退屈だったから）、ぼくたちのように親が帰ってこない子どもたちを夏のあいだじゅうあずかるホテルで過ごしたこともあった（これは楽しかった。ホテルにはプールもあったし、何よりも、同じ年くらいの子どもがたくさんいて遊べたから）。

ベアトリスは頭がよく、しっかりしていてとても頼りになる。

それに、ぼくにはよくわからないけど、きれいなんだそうだ。

ベアトリスがぼくの学校に来ると、いつも上級生たちがそういって騒ぐ。

ぼくのほうは体も小さいし、スポーツが得意だというわけでもない（イギリスの学校ではこれは致命的だ）。成績もそういいほうでもないし（そんなに悪いわけでもないけど）、学校では全然目立つほうじゃない。

でも年に何回か面会に来てくれるベアトリスのおかげで（ベアトリスに気に入られたい最上級生たちがぼくにおべっかを使うから）、だれにもいじめられないで学校で平和に暮らすことができた。

そして今年は、両親にも会えるんだ！

4年間は、両親に会えないで待つには長すぎる……。

でも、もう待つのは終わりなんだ。

ぼくがうきうきしながらウォータールー駅の待合室に入ると、ベアトリスはすぐに見つかった。

　濃い茶色のリボンで長い茶色の髪を結び、今年流行のドレスとおそろいの麦わら帽子をかぶり、トランクのわきで手に何やら紙きれを握りしめ、よく見ると、唇もかみしめている。

「久しぶりね、ダニエル」

「それは、何？」

とぼくが聞くと、ベアトリスは握っていたものをぼくに突き出した。

「今朝、私のところに届いたの」

　愛するベアトリスとダニエルへ
　元気ですか。二人ともよく知っているとおり、私とお父さんはこの夏帰国して、あなたたちに会うのを本当に楽しみにしていました。けれども、ものすごく大変なことが起きてしまったため、帰ることができなくなりました。ジャイサルメールのマハラワル王子からじきじきに、私たちに残るよう要請があったのです。

私たちがあなたたちをどれだけ愛しているか、わかっていますよね？

なのに帰れない……のですから、それがどれだけ大変なことなのか、あなたたちにもわかってもらえると信じています。あなたたちの成長ぶりをこの夏もまた見られないと思うと、本当にくやしく、とても悲しいです。

それで、今年はお父さんとも相談して、私たちの旧友、アーネスト・ドレイク博士のところに行ってもらうことに決めました。

博士の家はサセックスにありますが、博士はロンドンでも〝ドラゴナリア〟というお店をやっています。博士には、ウォータールー駅まであなたたちを迎えにいくように頼んでおきました。でも、何かの事情で博士が駅に来なければ、博士のお店まで自分たちで行ってください。

駅を出たら川を渡ってトラファルガー・スクエアまで行き、セントマーティンズ・レーンを進んでください。店は、セントアンドリュー・ストリートを脇に入った、ワイバーン・ウェイにあります。

私たちは直ちにマハラワル王子に会うようにといわれていますので、もう行かなくてはなりません。

あなたたちを心から愛している　母より

手紙を読み終わると、ぼくの目には涙がにじんだ。

両親が直前になって会えないといってきたのは、これで2度目だ。

去年も急に、何だかわからないことが起こって、ぼくたちはものすごく退屈な、アルジャーノン叔父さんのところへ行かされたんだ。

「ドレイク博士って、だれ？」

「覚えてない？　昔、1回うちに来たことがあるわよ。ほら、ひげをはやしていて、ドラゴンの話しかしない人よ！」

そういわれれば5歳くらいのとき、陽気なひげのおじさんが家に来たことがあるような気がする……。

「その人って、本物の博士なの？」

「『ドラココロジスト』とかいう博士だったと思うわ。そうそう、お父さんの仕事をインドで見つけてきたのがあの人なのよ。だから、私、あの人は大嫌い」

「でも、アルジャーノン叔父さんよりはましなんじゃないの？」

そのあとぼくたちは、駅じゅうを探しまわった。

もじゃもじゃひげの男の人も2〜3人見つけたが、ドレイク博士ではなかった。

そうして1時間ほど待ったが、博士は現れない。

「ほら、やっぱりね」と、ベアトリスは不機嫌そうにいった。

「あの人、迎えに来る気なんか初めからないのよ。きっと、ずーっと、ドラゴンで忙しいんだわ」

「本当にドラゴンについてよく知っている人なの？」

「ドラゴンのことを知っている人なんて、世界じゅうどこを探したって、いるわけないじゃない？　あれは空想上の生きものよ」

ベアトリスは、あきれたように答えた。

それでしかたなく、ぼくたちは暗い気分のまま、お母さんの手紙にあるとおり、トランクを持って川を渡り、トラファルガー・スクエアのほうへ向かった。

古い教会の前を過ぎ、セントマーティンズ・レーンを進むと、そこは小さな店やパブがずらっと並んだ、古そうな商店街だった。

座りこんでタバコを吸ったり、何もせずに外灯に寄りかかってボーッとしたり、暗く汚いパブの入り口あたりでたむろしたりしている人たちがいっぱいいる。

トラファルガー・スクエアでは、人々は忙しそうにして、みんな何か大事なことをしているように見えたけど、ここの人たちは、することもなくただブラブラ歩いているだけのように見えた。

ぼくたちは、互いのトランクがぶつかりあうほど寄りそいながら歩いていった。

「本当にこの道であってる？」

ベアトリスがいいだした。

「だって、セントマーティンズ・レーンって、さっき標識に書いてあったよ……」

「でも、こんなところに博士のお店があるなんて……」

突然、ボロボロのワンピースを着た女が１軒のパブから飛び出してきて、ぼくたちのほうへ走ってきた。手には、ヒースの花束を持っている。

「幸運のヒースはいかが？　お嬢さん」

そういいながら花束をベアトリスのポケットに押しこもうとしたが、ベアトリスがうまく身をかわすと、その女はぼくたちの前にまわりこんで道をふさいだ。

「なんて可愛いお嬢さんなんでしょ」といって、今度は、ヒースの花束をベアトリスの麦わら帽子のリボンに素早くはさみこむ。

「ありがとう。でも私、ヒースはいらないの。ありがとう！」

ベアトリスは帽子からヒースを抜き取ると、女の手元に突き返した。その瞬間、女がサッと手を引っこめたので、ヒースの花は地面に落ちた。ベアトリスは、ぼくの腕をつかんでいった。

「行くわよ！」

ぼくたちは、半分かけ足で歩き出した。

「この代金は、きっちり払ってもらうよ！」

後ろから女の叫び声がした。

ベアトリスの勇敢さに刺激されたぼくは、後ろを振り向いて、

「ぼくたち、お金持ってないんだ」と、いい返してやった。

「さあ、どうだかね！」

女は、吐き捨てるようにいうと、近くでぼくたちをじっと見ていた、ぼくと同じ年ごろの、悪そうな少年たちに向かっていった。

「ヴィンセント、マイケル、オリバー、盗人だよ！　花を取ったのに、お金を持ってないんだとさ！　本当かどうか確かめておやり。1シリングあげるから、あの子の帽子を取ってきな。あのガキのほうも痛い目にあわせておやり！　目のまわりにあざを作ってやったら、もう1シリングあげるよ」

ぼくたちは逃げようとしたが、トランクを持っていたので急げない。

あっという間に3人に追いつかれ、取り囲まれてしまった。

すると、ベアトリスはぼくを後ろにかばって、彼らをにらみつけた。

と、そのとき、通りの向こう側のパブの入り口で、身なりのよい男がこっちを見ているのに、ぼくは気づいた。

その男はシルクハットをかぶり、コートの襟を立て、持ち手に奇妙な彫刻のついた杖を持っていた。

「助けて！」

ぼくはその男に向かって叫んだ。

ところが男は、すっと背を向けてパブの中に姿を消してしまった。

「青あざをくれてやるよ！」

一番でかいやつが袖をまくり上げ、ぼくに向かってきた。

「やれるものならやってみなさいよ！」

ベアトリスが身がまえた。ぼくは、本当にこわくなった。

けれども、でかいやつがぼくにつかみかかろうとした瞬間、ベアトリスは素早く横からそいつの髪の毛をつかんで、思いっきり引き倒すと、ブーツでそいつの体をふみつけた。
悲鳴が上がった。
一瞬の勝負だった。
「わかったよ。ただふざけただけだ。本気じゃねえよ。冗談だよ。放してくれよ！」
それを聞いたベアトリスは、ほかの二人のほうを向いた。
「あなたたちも、まだ私の弟に青あざをくれるというの？」
3人は、一目散に走り去った。
すごい！
ベアトリスって、すごいことをやるもんだ。
ほっとして、ぼくはあの奇妙な男を思い出した。
パブの入り口をもう一度見たが、彼はもういなかった。
ふと気がつくと、いま立っている場所は、1軒の店の入り口だった。

このあたりの、ほかの薄汚い店と同じような店に見えたが、大きく違うのは、ドアの上に「ドラゴナリア」と書いた看板がぶら下がっていたことだ。

「見て！」

「うわー、ドラゴンじゃない？」

その店の暗緑色のショーウィンドーの中には、見たこともない、素晴らしいドラゴンの像や彫刻がぎっしりと並んでいた。

第2章　ドラゴナリア

経験を積んだ者なら、ドラゴンの気配を感じるものだ。

そこでどんなドラゴンに出会えるかも、いいあてられるだろう。

１８４２年５月　ドレイク博士の日記より

その店には、呼(よ)び鈴(りん)がついていなかった。

ドアの取っ手を回してみると、鍵(かぎ)もかかっていない。

そこで、ぼくたちは息をひそめて、中に入った。

店の中は棚(たな)やテーブルだらけで、古い本や花瓶(かびん)、杖(つえ)、像、ロウソクなどがごちゃごちゃに置かれ、かいだことのない、奇妙(きみょう)な甘(あま)い香りがした。

でも共通点はあった。

ドラゴンだ。

その店に置いてある品物は全部といっていいくらい、ドラゴンの絵がついているか、ドラゴンのかたちをしているか、ドラゴンの飾りがついているか、だったのだ。

店の中にはだれもいなかった。

ぼくは壁にたくさんのドラゴンの絵を見つけ、ひきつけられた。

寝ているドラゴン、吠えているドラゴン、火を吐いているドラゴン、象をさらっていくドラゴン、馬に乗った騎士と戦っているドラゴン——。

ベアトリスはトランクを壁際に置くと、眉間にしわをよせた。

店の一番奥には大きな古ぼけたカウンターがあり、呼び鈴が置いてある。

カウンターの向こうのドアが半分あいていて、そこから地下へ降りる階段があるのが見えた。

ベアトリスはカウンターの中へ入り、ドアのすきまに頭を突っこんで
「だれかいませんかー？」と、大声で叫んだ。

そのとき、ガタン、ガチャンと、けたたましい音が地下から聞こえてきた。

何だ？

「ドレイク博士がいるかどうか、見にいってみようよ」

とぼくがいうと、ベアトリスもうなずいた。

ぼくたちが階段を半分まで下りたとき、突然、キーっという金切り声が聞こえ、地下の廊下にあるドアの一つから、若い男が、もうもうとした煙に追いかけられるように飛び出してきた。

その男はドアをバタンと強く閉め、ぼくたちには気づかずに大急ぎで廊下の突きあたりにあるドアを開けて入っていった。

廊下に残った煙はすぐに消えたが、硫黄のにおいがした。

ぼくたちは、階段の途中で立ちすくんだ。

「上へ上がって待ちましょう」と、ベアトリスは小声でいった。

「でも、ドレイク博士を見つけなきゃ」ぼくも小声で答えた。

ベアトリスが1段上がり、ぼくは1段下りた。

さらに下りていくぼくを、ベアトリスは上からにらみつけた。

「ダニエル！　上へ上がって待ちなさい！」

でも、ぼくは何が起きているのか知りたかったのだ。

地下の廊下は薄暗くて、かなり広く、ドアがいくつもあった。

さっきの男が出てきたドアにそっと近づき、ひざを曲げて鍵穴から中をのぞこうとしたとき、廊下の突きあたりの部屋から、大声が聞こえた。

ドアがちゃんと閉まってないんだな。

でも聞こえたのは一人の声で、相手の声はまったく聞こえない。

会話の内容も切れ切れで、何のことか、さっぱりわからなかった。

「それがどれだけ危険か、わかっているんでしょうな?」

「だれが通報したかなんてことは、どうでもいいのです!」

「いま、あれがこのロンドンにいるんですぞ!」

「そうです。もしそうなったら、本当に悲惨な事態になりますぞ!」

そのあとはドアを閉めたのか、聞こえなくなったので、ぼくはまた煙が出てきた部屋のことを思い出し、もう一度、鍵穴に目をあてた。

2本のろうそくに照らされて、薄暗い部屋の中が見えた。床はむきだしの石のまま、壁には端から端まで天井まである本棚がずらりと並び、古めかしい、重そうな本がぎっしりつまっている。

でも部屋の中はめちゃくちゃだった。本がたくさん床に散らばっている。

　3つある大きな机の上には、ほこりだらけのガラス瓶や奇妙なかたちの標本瓶など、変なものばかりが雑然と置かれていたが、3つの机のうち二つはめちゃくちゃで、置いてあるものが倒れ、割れた瓶から中身が石の床にこぼれて泡を立てている。

突然、一つの机の後ろから大きな生きものが飛び出してきて、とんだりはねたりしているのが見えた。

鳥だろうか？　鳥にしてはずいぶん大きいけど……？

ぼくはちゃんと見たくなってドアの取っ手をそっと押してみた。

すると、その音が聞こえたと見えて、そいつは急に静かになった。

少しずつ、慎重にドアを開けていく。

半分ほど開けたところで、バン！　と何かがドアにぶつかってきて、ぼくは後ろに吹っ飛ばされた。

　ひっくり返りながらも、ぼくは、部屋の中を飛んできたものを見たんだ！

そいつには翼があった！

かぎ爪も！

鼻の穴から煙が流れ出ているのも、確かに見えた。

大きさは犬くらいはあり、体じゅう、ウロコのようなものでおおわれていた。

そうしてそいつは机の上に着陸すると、よたよたとこちらを向き、半開きになったドアのすきまからビーズのようにきらきら輝く目でぼくをにらみつけ、大きく翼を広げると、ぼくをおどすようにキャーッと叫んだ。

口の中は真っ赤で……そして……そして……そいつは、たったいま上の店で見た挿絵に、そっくりだった！

そのとき、だれかの気配がしたのでぼくが顔を上げると、大きなひげの紳士が、片手でドアノブを押さえながら、ぼくにおおいかぶさるように立っていた。

「きみが、ダニエル・クック、だね？」

第3章　ドラゴン学者に会う

ドラゴン学者に必要なもう一つの資質は好奇心である。

たとえそのために、ときには死を招くことがあったとしても……。

１８４２年５月　ドレイク博士の日記より

ドレイク博士はドアを閉めると、ぼくのほうに向きなおった。

「さて、きみは見てしまったんだね？」

「すみません……」ぼくはしゅんとしていった。

「叫び声がしたので――」

「きみのお姉さん、ベアトリスも見たのかな？」

「いいえ、見ていません。姉は上で待っています」

「では、ダニエル。もうしばらく二人とも上で待っていてくれないか。店のものは壊さない限り、何を見てもいいから」

「それから」と、博士はいたずらっぽく笑っていった。

「いまここできみが見たと思ったもののことは、しばらくお姉さんには内緒にしておいてくれないかい？　いまはちょっと忙しくてね」

「はい、わかりました」ぼくはしぶしぶ階段を上がった。

「何かあったの？」

ぼくがカウンターにもどると、ベアトリスが聞いてきた。

ぼくは思わずいいそうになったが、いってもベアトリスは信じてくれないだろうと思った。博士のいうとおり、これは、忙しいときに説明できることじゃない。

「別に何もなかったよ。もうしばらく上で待っててほしいって」

ぼくはそれ以上何もいわないで、店の中の探索を再開した。

カウンターの後ろ側の壁にも、古い絵画やスケッチがいくつもかかっている。

ぼくは１枚ずつ、じっくり見た。もちろん、どれにもドラゴンが描いてあるのだ。

ベアトリスもぼくの後ろからのぞきこんだ。

何枚目かの絵を見て、ベアトリスはいきなり体をこわばらせた。

それは小さな丘を背景にして４人の人物が描かれている絵だったが、ドレイク博士らしき人物の隣に立っているのは、なんとぼくたちの両親だった！

ただし、みんなすごく若いけど……。

「そうだろうと思った」と、ベアトリスが皮肉っぽくいった。

「やっぱり博士がお母さんとお父さんをインドにやったのよ。大嫌い！」

けれど、ぼくはそれよりも、ドレイク博士の反対側に描かれている人物のほうが気になった。それは、ぼくたちが不良に襲われたとき、パブの入り口からぼくたちを見ていた男のように見えたからだ。

ぼくは、その絵をひっくり返し、どこで描かれたものなのかを確かめた。

赤いクレヨンで何かいっぱい書いてあったが、読みにくい字のうえ、もうかすれて薄くなっていたので、なんとか読めたのはこれだけだった。

〔S・A・S・D・ 1868年6月、サマーセット、シルブリーの丘、ピクニック〕

そこへ、地下でまたドアがバタンと閉まる音がして、だれかが階段を上がってくる足音がした。

現れたのは、さっき廊下を走って逃げていった若い男だった。

そばかすがいっぱいある顔に、もじゃもじゃの金髪……。

丸い青い目が無邪気にこちらを見ている。

どう考えても悪いことをしそうな人には見えない。

彼は片手に茶色の紙袋を、もう片方の手に水差しと、グラスを二つ乗せたトレイを持っていた。

「ダニエル・クックさんと、ベアトリス・クックさんですね？」

と、彼は明るいアメリカなまりでいった。

よく知らないうちは絶対に人を信用しないベアトリスは、笑顔も返さなかった。

「そうです。あなたは？」

「私はエメリー・クロスといいます。エメリーと呼んでくださいね。ドレイク博士にいわれて、お二人に、お昼ご飯を持ってきました」

エメリーは紙袋をぼくたちに差し出すと、トレイはカウンターに置いた。

「おなかはすいていません」と、ベアトリス。

「それは残念」といいながら、エメリーはぼくにウィンクをした。

「それでも、まあこれはここに置いておきましょうか……」

そういってエメリーが地下へ降りていったので、ぼくは紙袋の中をのぞいてみた。キュウリとハムのサンドイッチが入っている。

「おなかがすいていないなんて、なんでいったの？」

「ドレイク博士が信用できる人かどうか、まだわからないじゃないの」

「でもお母さんたちが、博士のところに来るようにいってきたんでしょ？」

「それはそうだけど……。じゃあ、いまのところは彼を信用することにしましょう」

ベアトリスはそういうと、そこらへんの椅子のほこりを払い、腰かけると、紙袋からサンドイッチを取り出してつくづくと眺めてから半分ぼくに渡し、そこがドレイク博士の奇妙なほこりっぽい店ではなく、まるで一流のレストランであるかのように、落ち着きはらって食べ始めた。

第4章　セント・レオナードの森

私はとても幸運な子どもだったと思う。
家の近くの林に、私だけが知っているドラゴンがいたのだから。

１８４２年６月　ドレイク博士の日記より

ドレイク博士の店では、結局そのあと3時間近く待たされた。ぼくは、さっき見たドラゴンのことを話したくてしかたなかったが、なんとか我慢（がまん）した。

5時になると、ようやくドタドタと階段（かいだん）を上がってくる音がして、赤ら顔の男が現れ、そのまま店を飛び出していった。

そのつぎにドレイク博士も上がってきた。

「久しぶりだね、ベアトリス。今日は駅まで迎えにいけなくて悪かった。でも、見てのとおり、ちょっと大変なことが起きていて、どうしても抜けられなかったんだ。すまなかったね」

ベアトリスは、お母さんが手紙に書いてよこしたことを思い出したらしく、ぼくのほうをちらりと見た。

「でも、よかった。きみたちのような賢い子どもたちなら、私の店もかんたんに見つけるだろうと思っていたんだよ」

「あの男の人は、だれなんですか？」

ぼくはさっきの絵に描かれていた男が気になってしかたがなかったので、我慢できなくなって聞いてしまった。

「どの人のことだい？」

ぼくはこの店に来たときの不良たちとの小競りあいのことと、そのときぼくたちを助けてくれなかった、パブの男のことを話した。

「変なかたちの彫刻の柄がついた杖を持っていて、すごく気味が悪かった。それにその人、あそこにある絵にもぼくたちの両親と一緒に描かれているんです」

ドレイク博士がそれを聞いて、ぎょっとしたのがわかった。

「イグネイシャス・クルックが？　ここに来たのか！」

それきりしばらく博士は口をきかなかったが、ようやくもう一度話し出したときには、冷静な博士にもどっていた。

「さて、二人とも、この夏は私の家があるサセックスのセント・レオナードの森で一緒に暮らすことになるからね。遅くなってしまったが、いまから出発だ」

＊

それから何時間が過ぎただろう。

いつの間にかぐっすりと寝(ね)こんでしまったらしく、馬車がわだちの上を通ってガタン、と大きくゆれたせいで、ぼくは目が覚めた。

ロンドンでは曇(くも)っていたが、馬車の窓(まど)からのぞくと、あたりは月明かりに照らされ、気持ちのいい、さわやかな夜の空気の匂(にお)いがした。

横を見るとベアトリスもぐっすり寝こんでいる。

馬車は、深い森の中をどんどん進んだ。

「もうすぐだよ！」

ドレイク博士がほっとしたように、ランタンでまわりを照らした。

「見えるかな？」

眠(ねむ)りに落ちる前、ドラゴンのことをずっと考えていたぼくは、窓のほうへ体をずらし、目をこらして外を見た。

もしかして、ドラゴンがいるのかな?

すると、いくつもの小さな影が動いているのが見えた。いや、動いてるというより、馬車のまわりをとんだりはねたりしてるじゃないか!

影の一つがはねながら馬車に近づいてきて、馬車がそれを避けようとしたとき、ぼくにもそれが何か、はっきりわかった。

「なんだ、ウサギかあー」

ぼくは思わずがっかりした声を出してしまった。

でも、何百匹もいる!

「セント・レオナードの森は、イギリスでもかなり大きい野ウサギの群れがいるところなんだよ。ウサギたちには私の庭も結構荒らされているが、ここでは私たち人間のほうが侵入者だから、荒されてもしかたないね。さあ、もうすぐ私の家に着く。古いながらもなつかしい我が家……ドレイク城へようこそ!」

馬車が止まったのは、城というには大げさだけど、かなり大きな石造りの家の前だった。

ぼくは、あくびをしながら馬車から降りた。

御者が、ぼくたちのトランクを下ろしてくれた。

「ご苦労さん、ありがとう。この道をまっすぐ進んで、最初の道を左に曲がると、さっき教えてあげた宿があるよ。宿の主人はきみが来ることを知っているからね」

と、ドレイク博士は御者にいった。

御者は礼をいって、行ってしまった。

ドレイク博士は大きな鍵を出してドレイク城の玄関を開け、ぼくたちに1本ずつロウソクを渡し、灯りをつけてくれると、二階の廊下の突きあたりの両脇にある二つの部屋へ、ぼくたちを案内してくれた。

ぼくの部屋は広く、ベッドが4つも置いてあった。

ということは、まだほかにも、だれか来るってことなんだろうか？

「どれでも好きなベッドを選びたまえ」

博士はそういうと、すぐに出ていってしまった。

ぼくはロウソクを立て、自分のトランクを部屋のすみに置いて、部屋の中の洗面台で手と顔を洗い、トランクからパジャマを出して着替えると、ロウソクを吹き消し、ベッドの一つにもぐりこんだ。

今日一日の不思議な出来事が頭によみがえってきた。

今朝、ウォータールー駅でベアトリスに会ってから、１日もたっていないのに、いまはもうサセックスにいる！

しかもぼくは、「あれ」を見たのだ！

第5章　ドレイク城で暮らす

ドラゴンが夢に出てくるときは、たいてい、
ドラゴンがすぐ近くにいるときである。

１８４２年10月　ドレイク博士の日記より

ドレイク城での初日、ぼくはぐっすりと眠った。

あんなに興奮したから眠れないかも、と思っていたのに、ハッと気がつくと、あたりはすっかり明るくなっていた。

ぼくは急いで着替えて下のホールへ降りた。

ぼくはこの家が、あの不思議な店のオーナーにふさわしい、おもしろい家だといいなと思ったが、朝の光で見ると、どこにも変わったところなんかない、普通の古い家だった。

　ベーコンと卵のいい匂いをたどっていくと、じきに台所が見つかった。

　もうベアトリスは起きて着替え、椅子に座って朝食を食べていた。

　茶色いワンピースを着た背の低い、眼鏡をかけた（何歳ぐらいなのか全然わからない）女性がかがみこむようにして、かまどでマッシュルームを炒めていて、ぼくを見ると、にっこりほほえんだ。

「ボンジュール、ダニエル。私は、ドレイク博士の家政婦ドミニク・ガメイです。お会いできてうれしいわ。よく眠れたかしら？」

　フランス語なまりがかなり強かったが、ガメイさんの英語は、わかりやすかった。

「はい、ありがとうございます。ぐっすり眠りました」

「それは何より！　さあ座って召し上がって」

ガメイさんは、紅茶と卵とベーコンとマッシュルームとトースト、という豪華な朝ごはんのお皿を、ぼくの前に置いてくれた。

やった！　寮とは大違いだ！

ベアトリスが、ガメイさんを見上げてたずねた。

「ここには、たくさんの子どもたちが来るんですか？」

「いいえ、ほんの数名の、運のいい子どもたちだけ。そう、あなた方もね」

そういって、ガメイさんはちょっと首をかしげて考えた。

「あなた方、エメリーに会いました？」

「はい、博士の店で」と、ベアトリスが答えた。

「では、今年はあなたがたとエメリー、あと、ビリーとアリシアと、そうそうダーシーも、もうすぐ来ますね。全部で6人、だわ」

へえ……どんな子たちなんだろう……。

「では食べ終わったら、応接室でドレイク博士を待ってください」

応接室は、趣味のいいソファや、どこにでもある机や椅子や本棚があるだけで、普通でないものは一つもない部屋だった。

何よりも、あの店ではそこらじゅうにあふれていたドラゴンが、一つもない！　だいいち、部屋じゅう、ピカピカだ。窓もきれいにみがいてあって、外の芝生がよく見えた。

そういえば、この家は古いけど、いままで見た限りどこにもほこり一つなかった。これをガメイさん一人でやっているのなら、ガメイさんはものすごく有能な人だ。

部屋の中で唯一おもしろそうなのは、すみにある本棚だった。

ぼくはドラゴンや魔法使いの本がたくさん置いてあるかと思って、まっすぐに本棚にいってみた。

ところが、そういうおもしろそうな本はぜんぜんなかった。

そこにあったのは地理学、政治学、博物学、経済学といった固い本ばかりで、『製造業におけるベンゼンの歴史』といった専門書まで置いてあった。

そういう本のあいだも、綿ぼこり一つなく、きれいに掃除されている。

「おはよう」といいながら、ドレイク博士が部屋に入ってきた。

「さてと……、前にもいったと思うけれど、いま、大変なことが起きていてね。すまないが、全員そろったら、サマースクールを始めるから」

「サマースクール？」

ぼくたちは口をそろえて叫んだ。

ここまで来て、勉強するの？

「そう、サマースクールだよ」ドレイク博士は、にこにこしていった。

「それが、きみたちの両親がきみたちをここへよこした理由の一つなんだよ」

「サマースクールが始まるまで、まだあと1週間ある。それまできみたちは自分で好きなものを見つけて勉強してくれたまえ。本はたくさんあるからね。でも、見てはいけない場所は絶対に見ないこと」

ドレイク博士は、ぼくのほうを見て、笑いながらそうつけ加えた。

「はい、わかりました」ぼくはちょっとはずかしく思いながら答えた。

「今日私は森へ行って薬草を採ってこなければならないんだが、ベアトリス、私と一緒に来てくれたまえ。ついでにこのあたりの動植物について勉強できると思うよ。ダニエル、きみは残念ながら今日は連れていけない。一度に二人はちょっと面倒みられないんでね。すまないがこの家で留守番だ。自分で勉強するものを探したまえ。あ、そうそう、ガメイさんが、12時頃にはお昼を作ってくれるからね」

そういって、ドレイク博士は大きな革のかばんと杖を持って、玄関から森のほうへと続く道を大股で歩いていった。

驚いたことにベアトリスは文句もいわず、博士のあとをだまってついていった。

第6章　種の起源（きげん）

すべてのドラゴンが自分のすむ環境（かんきょう）にあわせて進化してきたらしい、というのは、注目に値（あたい）する説である。

１８４２年５月　ドレイク博士の日記より

ドレイク博士とベアトリスが森へ出かけたあと、ぼくは本を探（さが）しにかかった。ぼくは博物学が好きだ。動物や魚や鳥にならいつだって夢中になれる。ドラゴンのことも考えないわけではなかったけれど、ここには1冊（さつ）もそういう本はなかったので、とりあえずドラゴンのことは考えないようにしようと思ったんだ。それで、棚（たな）の真ん中に、チャールズ・ダーウィンという聞いたことのある人が書いた本を見つけたので、すぐに取り出して読み始めた。

ビーグル号に博物学者として乗っていた私は、南アメリカの動物たちの分布や生物の過去・現在の地理的関係に大変興味を持った……。

この『種の起源』という本は、ぼくがすらすら読めるような本ではなかったが、ゆっくり、一生懸命読んでいくと、ダーウィンが何をいおうとしているのか、少しずつわかるようになってきた。

その本にはたくさんの生きものの絵が入っていた。

その中には、いろいろなかたちの鳥のくちばしの絵が描いてあるところがあって、この鳥たちは何を食べているかで、長い年月のあいだにくちばしのかたちを変えてきたのだ、と書いてあった。カモノハシの絵には

「カモノハシの最初の標本は偽物であると疑う者が多くいた」と書かれていた。

夢中で読んでいると、ガメイさんにお昼ですよと呼ばれた。ぼくは、ガメイさんと一緒に、野菜スープと焼きたてのパンを食べた。

朝ごはんと同じように、どれもおいしかった。

＊

ドレイク博士とベアトリスがようやく帰ってきたのは、6時になるころだった。

ベアトリスは一日じゅう歩いていたに違いないのに、とても興奮して目を輝かせていたので、ぼくは不思議に思った。

いったい、何をしてきたんだろう?

「ただいま、ダニエル。今日はどんなふうに過ごしたのかな?」

ぼくは、読んでいたダーウィンの本をドレイク博士に見せた。

「素晴らしい！」と、ドレイク博士はとても興奮していった。

「その本を選んだなんて！　最高の選択だ！　おもしろかったかい？」

「少し難しかったけど、とてもおもしろいと思いました」

「ほう、それはよかった。いい一日だったようだね。読んだところについて、夕飯のあとで、ちょっと聞かせてもらおう」

＊

それから丸3日間、ぼくは『種の起源』を読みふけった。

ベアトリスは毎朝博士と出かけて、夕方までもどってこなかった。

4日目に、エメリーが馬車で知らない男の子を連れてきた。馬車の荷台には防水シートでおおわれた荷物が乗っていた。

「やあ、ダニエル！　ドレイク博士はいるかい？」

　エメリーはぼくを見つけていった。

「博士は、姉さんと一緒に森に行きました」

「じゃ、ドミニクは？」と、エメリーは馬車から降りながら聞いた。

「ガメイさんのこと？　ガメイさんも買いものだっていって、馬車に乗って出かけました。いまはぼく一人です」

　エメリーは大きくうなずいた。

「それは残念！　ところで」といって、小柄でやせた男の子を手招きした。

　ベアトリスよりは年上だと思うけど、身長はベアトリスと同じくらいしかない。

　そんなに高価そうではないけど、きちんとした服を着て、ちゃんと帽子もネクタイもしている。

大きな眼鏡をかけていて、賢そうだった。

「ダーシー・ケンプです」

そういって彼はにこにこしながら手を差し出した。

「ダニエル・クックです」とぼくも挨拶したが、どうやらぼくがここにいることは知っていたようで、ダーシーは驚いたような顔はしなかった。

「会えてうれしいよ。仲間ができるのは助かる」

ぼくはうなずいたが、よく意味はわからなかった。

助かる……？　何で？

「さてと、こいつを納屋に置きにいかなくちゃ……。ダニエル、博士がもどってきたら、荷物が届きましたって伝えてくれるかい？」

と、エメリーはいった。

ぼくがうなずくと、二人は荷台から防水シートをはずし、重そうな大きな木箱を、馬車からやっとのことで降ろし、納屋を開けて中に運び入れた。

そうして納屋に鍵をかけると、エメリーはまた馬車に乗りこみ、出かけていった。

ダーシーはぼくに「またあとで」といい残し、自分のトランクを家の中に運び、汚れてもよさそうな服に着替えて出てくると、反対の森の方向へ歩いていった。

(あとで見ると、ダーシーはぼくの部屋の一番奥のベッドに、自分の荷物を置いていた。これで、この部屋の住人は二人になったわけだ。あと、ビリーって子がくれば3人だ)。

ぼくは、家にもどってドアを閉めた。

そして、読みかけの本を取り出したが、全然進まない。

あの木箱は何なんだろう?

ぼくは突然その考えに取りつかれた。一度はふりはらったが、その考えはまるでぼくの心臓をわしづかみにしたように、がっちりとつかんでぼくを離さなかった。

どうしてもさっきの、あの木箱を見にいかなくちゃ！

納屋の裏側には、小さな窓がある。

そこのかけ金が壊れていることを、ぼくは知っていた。

何日か前、退屈しのぎにそこから入ってみたことがあったからだ。

そのときには、納屋の中には古い袋がいくつかと、石炭と木材が何本かが、壁に立てかけられているだけだった。

ぼくはじっとしていられなくなって、納屋に急いだ。

そして、服を汚さないように注意して窓によじのぼり、中に入った。

木箱の上にかけてある防水シートを持ち上げた。

と、その瞬間、耳が張りさけんばかりの金切り声！

ぼくは、後ろによろめいた。

ドラゴンの赤ん坊だ！

どう見ても、そうとしか見えない生きものが、木箱の中の鳥かごに入っている。

ドレイク博士の地下の部屋で、ぼくを攻撃しようとしたやつだ。

そいつは金切り声をあげながら、鳥かごを中から爪でつかみ、かごをゆすったり、前後にゆり動かしたりした。

翼をバタバタさせ、まっすぐにぼくの目をのぞきこんだ。

ぼくはその目にひきつけられた。

どうしても目が離せない。

ヘビににらまれたカエル、という言葉があるけど、ぼくはそんなふうに金縛りにあったようになった。

そいつの鼻の穴からは、薄い煙がかすかに渦を巻いて上がっていた。

ぼくは、この不思議な生きものを、ただ見つめることしかできなかった。

第7章　スコーチャー

どんな子どもでも（いや、子どもでなくても）空腹のドラゴンと二人っきりにしておくことは、お勧めできない。
１８４３年５月　ドレイク博士の日記より

ぼくがドラゴンを見たのはこれでまだ2回目だが、それでもそいつが赤ちゃんのドラゴンだということくらいはわかった。

そいつはぼくが想像していた、火を吹く恐ろしいドラゴンとは違っていた。悲しそうにギャーギャー鳴き、かぎ爪で鳥かごをつかんで、ゆさぶっている。でも、二つの真っ黒な瞳は知的でキラキラ輝いていて、一度その目をのぞきこんだら、ぼくは鉄が磁石にくっつくように、目を離せなくなってしまった。

そうして、いきなり、このドラゴンを自由にしてやりたい！　という気持ちに突き上げられた。

それはまるで突然熱病にでもかかったようだった。ぼくはその熱にうかされて、かごの鍵がはずせないかと、夢中でガチャガチャ動かしてみたりした。

と、そのとき、ドレイク博士が入ってきてぼくを見つけ、あわてて防水シートで木箱をおおった。

ドラゴンの目が見えなくなったと同時に、ぼくの、このドラゴンを自由にしてやりたい、という気持ちもいきなり消えた。

ぼくはこわくなってあとずさりした。

「大丈夫かい？」と、ドレイク博士はあわててぼくの目をのぞきこんだ。

「驚いたな。こんな小さなドラゴンが催眠術を使えるなんて、聞いたことがない！」

「催眠術って?」

「いまきみがスコーチャーにかけられていたものさ。スコーチャーはいったい、きみに何をさせたがっていたんだ?」

「か、かごの鍵を開けてほしい、外に出たいって——」

「信じられん!」

ドレイク博士は、防水シートを少しだけ持ち上げて、そっとのぞいていった。

「スコーチャー、せまくて本当に申し訳ないが、もう少し我慢しておくれ。さあ、ご馳走を持ってきたよ!」

ドレイク博士は手に持っていた肉の包みを、スコーチャーのかごに押しこんだ。

シートの下で、ドラゴンが金切り声をあげて肉にかぶりつく音が聞こえた。

「私が帰ってくるのがもう少し遅かったら、大変なことになっていたかもしれない。だから、のぞいてはいけないといっておいたのに」

「このドラゴンは……ドラゴンですよね？　いったい何なんですか？」

ぼくはおそるおそる、たずねてみた。

「ヨーロッパドラゴンの赤ちゃんだよ。なぜかはわからないが、ロンドンの私の店の前に置き去りにされていたんだ。この子は私が前から知っているドラゴンでね。名前はスコーチャーというんだが、見たら病気にかかっていた。だから、ロンドンからここへ連れてきてもらったのだよ。この病気に効く、特別なハーブがここの森にはたくさんあるんでね」

「どうして、そんなにドラゴンについてくわしいんですか？」

「なぜって、私は、ドラゴン学者だからだよ」

ドラゴン学者？

そんな仕事があるの?!

ドレイク博士は、ぼくの額（ひたい）にさわって熱がないことを確かめると、念のため今夜夕食のあと書斎に来るようにといったあと、ぼくをうながし、一緒に納屋を出て家の中にもどった。

家の中では、ベアトリスが心配そうな顔をして待っていた。

驚いたことに、博士はそんなベアトリスに平然と

「ダニエルがスコーチャーに催眠術をかけられてね」というじゃないか！

ところが、ベアトリスは

「そんな！　後遺症とかはないんですか？」と、聞いたんだ！

えっ？　姉さんはドラゴンなんて信じていないんじゃなかったの？

ぼくが驚いてそういうと、ベアトリスは笑いながら

「私はこの3日間、ドラゴンの観察をしていたのよ」

えええええっ？

「もちろんスコーチャーじゃないわ。ここの森にいる野生のドラゴンを観察してい

たの。そのうえ、スコーチャーの薬も作らなくちゃいけなかったから、この3日間、それはそれは大変だったのよ。ドレイク博士とさんざん歩きまわって、薬草を集めて……」

ええっ？　野生のドラゴン？　薬草？

「でも、明日からは薬草集めはあなたの仕事になるんですって。だから、明日はあなたも野性のドラゴンを見られるわね」

とベアトリスは、こともなげにいった。

まるで、イギリスの原っぱで、野生のドラゴンに会うのは当たり前のような顔をして……。

＊

そうして、ベアトリスは夕食のために着替(きが)えにいった。

ダーシーは森から、かなり汚れて、くたびれて帰ってきた。

エメリーも加わり、夕飯はにぎやかになった。

夕飯のあとで書斎のドアをノックすると、入りたまえ、という声がした。

この部屋に入るのは初めてだったが、背の高い本棚が並んでいて、上から下まで本がぎっしりつまっていた。そうして、壁には、ロンドンの店と同じようにドラゴンの大きな絵や額に入った絵画、スケッチなどがいくつも飾られていた。ここの本棚になら、ドラゴンの本もあるに違いない、とぼくは思った。

「具合はどうだね？」と、博士は立ち上って、ぼくのほうに近寄り、いった。

「何ともありません」と、ぼくは答えた。

熱もないし、変な気分にもなっていなかったからだ。夕ご飯もおいしかったし。

「それならよかった。今回は催眠術の後遺症はないようだ」と博士はいった。

「まあ、スコーチャーはまだ赤ん坊だからね。成獣にかけられたらこんなもんではすまないだろうが」

「どうなるんですか？」と、ぼくは聞いた。

「催眠術のうまいドラゴンなら」と、博士はいった。

「離れていても、何か月もその人間を操ることができるよ」

「そうなったらどうすればいいんですか？」ぼくは心配になって聞いた。

「ドラゴンの催眠術を解くにはいくつか方法がある」と、ドレイク博士はいった。

「なぜかはわからないが、計算をたくさんすると解けるんだ。これは昔からドラゴン学者のあいだではよく知られている方法なんだが、時間がかかるのが欠点でね。ほかにも海岸の砂の中にからだを埋めるという方法もあるが、いつも適当な砂浜が近くにあるとは限らない。私は、催眠術に効く薬草を教えてもらったので、いまはそれを使っているよ」

そういって博士は戸棚にいくと、小さなガラス瓶を取ってぼくにくれた。

「万が一、ということがあるからね」

ガラス瓶の中には緑色の粉が入っていた。

「もしどこかでドラゴンに催眠術にかけられてしまったら、この粉を一つまみ飲みなさい。舌がしびれるほど苦いが、すぐに効くからね」

ガラス瓶はぼくの手のひらにすっぽりおさまるほど小さかった。

これならいつでもポケットに入れて、持って歩ける。

「スコーチャーは」と、博士はいった。

「おそらくロンドンの店で、きみのことを覚えたんだね」

「だからここにきみがいるのを知って、きみを呼びよせようと思ったんだろう」

「あの子は、本当に頭がいい。これからが楽しみだよ。だが、きみが催眠術にかけられてしまうのは困るからね。スコーチャーと会うときは用心しなさい。ときにはかなりひどい後遺症が残ることもあるからね」

そういうと博士は部屋のすみの傘立てのほうを指差した。

「あの中から、ちょうどいい長さの杖を選びなさい。あしたからはきみも森の中の薮をかき分けて歩く必要があるからね。さあ、この帳面と鉛筆もあげるから、表紙に『ダニエル・クックの記録帳』と書いておきなさい。この杖と帳面と鉛筆を準備して、明日の朝5時には歩ける服装をして降りてくるように」

ドレイク博士はぼくが頑丈な杖を選ぶと、もう休みなさい、といった。

部屋に帰ると、すでにダーシーは自分のベッドでぐっすり眠っていた。

ぼくのほうはといえば、とても疲れていたが、その夜はまったく眠れなかった。

こんなに興奮したのは、生まれて初めてだった。

だからぼくは、朝の4時半には着替えて静かに部屋を出て、記録帳と杖を持ち、ドレイク博士を待った。一階のホールで——。

第8章　ウィーゼル

私が初めて見たドラゴンは、火も吐かず、飛べもせず、まともな翼さえなかった。だが、私は、ドラゴンに完全に魅了されてしまった。

１８４４年８月　ドレイク博士の日記より

朝5時ちょうどに、ドレイク博士が現れた。いつもの革のかばん、頑丈そうな杖、それにはちみつ色の液体が入ったガラス瓶を持っている。

「これがスコーチャーの薬だよ。私の特製シロップさ。ドラゴンはめったに病気にならないんだがね」

「さて、ここで待っていなさい。スコーチャーにこの薬をあげてくるから」

ドレイク博士はそういって、納屋に入っていた。

ぼくもスコーチャーを見たかったが、昨日のことがあったので、我慢した。

また催眠術にかけられると、まずい。

ドレイク博士は、納屋から出てくると、空になった瓶を玄関の脇に置き、ぼくについて来るようにという身振りをした。

森の中を、だまって3キロほど歩いただろうか。

ドレイク博士はふいに立ち止まると、かばんから、チーズのサンドイッチとレモネードの入った瓶を出してきたので、ぼくたちは立ったまま朝ごはんを食べた。

食べ終わった頃に、ドレイク博士がいった。

「これからきみに、ナッカーという種類のドラゴンを見せよう。この森には、私がずっと観察してきたナッカーが1頭いるんだ。私はウィーゼルと呼んでいる。ドラゴン流の名前もあるのかもしれないが、あいにくナッカーは、話ができるほど賢くないんでねえ。勝手に呼ばせてもらってるんだ。私は、この家にいるときは欠かさず彼女の行動を記録している。とても楽しいよ。まずは足跡を探そう。注意深くまわりを見てごらん。柔らかい土を見るんだ」

ぼくは、ドレイク博士が杖で指した方向の、急な土手を下りていった。

藪の中を行くと、しばらくして川の流れる音が聞こえてきた。

ぼくは川辺のぬかるみに、トカゲのような、でも、もっと大きい足跡を見つけた。

「ダニエル、この足跡を、持ってきた記録帳に描いておくように」

その足跡を見ながらドレイク博士がいった。

「よく見てなるべく正確に描くんだよ。そうすれば、またこれと同じものを見つけたときにすぐわかるからね。どの部分がどれだけ地面に食いこんでいるかや、各部分の大きさの比率も、正確にね」

ぼくは、かがみこんで足跡を調べ、なかでも一番くっきり見える足跡を選んで、ていねいに絵を描いた。さいわい、ぼくは絵を描くのは好きだし、得意なほうだ。長くて細い指の跡が3本……。

その1本1本の先に、かぎ爪の跡もくっきり残っている。

ぼくがその足跡を描き終えて博士に見せたところ

「素晴らしい！」と、ほめてもらえた。

「じゃ、足跡を追ってみよう」

小川をこえてどんどん追っていくと、足跡はワラビの茂みの中へ消えてしまった。

と、そのとき「気をつけるんだ、ダニエル！」と、博士が後ろからささやいた。前のほうで、何かが藪の中をすべるように進んでいる。

「ナッカー?!」

「ウィーゼルが、ウサギ狩りをしているところだ。いつも朝に狩りをするんだよ」

藪の中を、犬よりも少し大きいくらい、でもえらく長い、茶色っぽい生きものが動いていく!

ぼくはすっかり興奮してしまい、うっかり木の枝をふんで、ボキッと折れる音を立ててしまった。ウィーゼルは止まって頭をもたげ、ずるがしこそうな二つの目でぼくをにらんだ。

藪の中に見える顔はヘビと犬を足して2で割ったような感じで、いままでぼくが見た、どんな生きものとも違っていた。

「気をつけろ、ダニエル。動かないで、じっとして観察しなさい」

ぼくはいわれなくたって、動く気なんかなかった。

ウィーゼルはドレイク博士には慣れていたので、博士が一緒にいるのを見ると、それからはぼくのことも気にしなくなった。

このあと、ぼくは長いこと、ウィーゼルを注意深く観察することができた。

ウィーゼルの皮膚の色はなめし革のような茶色で、うろこはないようだ。

前脚のそばに、二つの小さなひだのようなものがある（これはあとで、翼だと教えてもらった。小さすぎるので飛べないけど）。

ウィーゼルは深い藪の中をするするとすべるように進むと、草地に向かった。

さっきぼくが音を立てたせいで逃げたウサギが、何羽かもどってきていたのだ。

クローバーがかたまって生えているあたりにいる2羽のウサギのところへ、もう1羽がやってきたが、そのウサギはとくに太っていた。

そのウサギを見て、ウィーゼルは期待で身をふるわせたように見えた。

突然、ウィーゼルは、尾を後ろにひと打ちして飛び出した。

ヘビのような胴体で3羽のウサギに素早く巻きつき、絞めつけると、ウサギたちはまるで洗濯物のようにブランとぶら下がった。

つぎの瞬間、ゴクリゴクリゴクリ、という音が3回して、ウサギが全部消えた。

ウィーゼルはうれしそうにため息をつき、身をくねらせると、するすると藪の中を去っていった。

　ウィーゼルが行ってしまうと、ドレイク博士はこういった。

「これで、きみにとっての最初の観察はおしまいだよ。今日じゅうにいま見たことを記録帳にちゃんと書いておきなさい」

　それからぼくたちはスコーチャーの薬草集めを始めた。

　ドレイク博士が見せてくれたのと同じ葉っぱを、ウサギのすむ野原の中で探(さが)しまわるのは、ベアトリスがいったとおり本当に大変な仕事だった。

　その野原にある薬草は全部つみ終わった、と確信したあと、ぼくたちはまた森の中を抜(ぬ)けて、お昼前にドレイク博士の家へもどった。

　ドレイク博士はそうやって、一日に一つの野原を〝やっつける〟のだといった。

＊

家に着くと、ベアトリスは応接室に座(すわ)って本を読んでいたが、テーブルにはぼくと同じような記録帳と辞書が開いたまま置いてあった。

ベアトリスが顔を上げた。

「どうだった？　ウィーゼルが狩(か)りをするところ、見られた？」

見たよ、とぼくはいった。

ベアトリスが読んでいるのは、ダーウィンの『種の起源(きげん)』だった。

「姉さんも、それを勉強してるの？」

「そうよ。ドレイク博士が、これこそ、ドラゴンを科学的に学ぶために、ドラゴン学者が理解しておくべき理論だといってたから」

読みながら、ときどきわからない言葉は、辞書で調べている。

そうか……そうすればいいんだ！

ぼくは、わからない言葉を、辞書を使って調べるなんて思いつかなかった。

ぼくは自分の記録帳を取り出し、新しいページを開いて、鉛筆でドレイク博士に教えられたとおりに書き始めた。

ドラゴンの種類：ナッカー
名前：ウィーゼル
詳細：色は、なめし革のような茶色。胴体はヘビに似ているが、脚があり、小さな頭、大きな耳。前脚の近くに、ひだのような2つの小さな翼があるが、役に立っていないようだ（進化や退化に関係？）。尾の先は矢じりのようなかたち、ぬるぬるしている（粘液性がある）ように見える。小川からの湿り気によるものか？
日時：1882年7月12日
場所：セント・レオナードの森

気候：晴天
時間：朝6時半
観察結果：ウィーゼルは、早朝に狩りをすることを好むようだ。静かにすべるように動く。ソロソロとウサギの群れに近づき、群れの真ん中に向かって突進。いっぺんで3羽を絞めつけて丸ごと飲みこんだ。その後、すべるようにして、おそらく巣がある川の方向にもどっていった。

ぼくは、こんなふうに、見たことのすべてを記録に残した。

まだまだ他の人の役に立つようなものじゃないと思うけど、いまのところ、これがせいいっぱいだ。

練習すればもっといいものが書けるようになると思う。

そして、ウィーゼルとスコーチャーの違いについては、つぎのように記した。

大人（成獣(せいじゅう)）のナッカー	子ども（幼獣(ようじゅう)）のヨーロッパドラゴン
ウィーゼル	スコーチャー
体長５mくらい？	体長1m弱くらい？
火は吐(は)かない	煙(けむり)を吐く（その後、火を吐く？）
小さな翼(つばさ)、飛べない	大きな翼（飛ぶ修行中？）
なめし革(がわ)のような皮膚(ひふ)	赤みがかったうろこ
細くて長い	ドラゴンらしい体形
尾の先は矢じりのかたち	尾の先は矢じりのかたち
４本の脚(あし)	４本の脚

第9章　野外調査に行く

ドラゴン学も、ほかの学問と方法は同じである。

先入観なく観察し、論理的に思考する。

１８４４年８月　ドレイク博士の日記より

つぎの日はまた早起きして、ウィーゼルが食事しているあいだに、ウィーゼルの足跡を逆にたどって、巣まで行った。

途中で博士は、新しい足跡と古い足跡の見分け方を教えてくれた。

新しい足跡はかたちがくずれていないが、丸１日以上たっているものは縁がくずれていて、枝や草が上に乗っていることもある。

　またぼくは、ワラビの茂みの中で腰をかがめて、折れた枝や、ウィーゼルの尾の粘液がこすりつけられた木の幹といったウィーゼルの痕跡を探すことも、ウィーゼルがぼくの匂いをかぎつけないように、風下から探すコツも、博士に教えてもらった。

　ウィーゼルの巣は森の奥を流れる川辺にある、大きな木の根元に掘られていた。そのまわりには、毛皮のようなものや骨が散らばっている。

　皮や骨の山を近くで観察すると、どれもウサギのものらしいとわかった。

「どう思うかね?」

「ええと。ウィーゼルは食べものを丸飲みするので、消化できないものはあとで、まとめて吐き出すんじゃないでしょうか?」

　ぼくが自分の考えをいうと、博士は

「そのとおり」といって、うれしそうにほほえんだ。

その日はウィーゼルが帰ってくる前に退散し、別の野原を〝やっつけ〟た。

3日目にはダーシーとベアトリスも一緒に来ることになった。

それまでぼくとベアトリスは、午後は、互いに何を学んだか教えあったり、記録帳に書いたことを比べあったりしていた。

「ドラゴン学の本があればいいのにねぇ。博士がいつもいっているさまざまな種類のドラゴンの絵が載っている本が……」

玄関で出かける準備をしながらベアトリスがいった。

「それなら明日、いいことがあるかもしれないよ」とダーシーがいった。

「サマースクールが明日から始まるから。教室にはたくさん、ドラゴンの本がある。さあ、出かけよう。今日の課題は、ウィーゼルの活動範囲を調べること、だったね」

「えっ？　ドレイク博士は一緒に来ないの？」

ベアトリスが、不安そうな顔をした。

「心配ご無用。大丈夫だよ。ウィーゼルはもう、きみたちのことは匂いでわかるし、森の地図もあるから」

ダーシーは先頭に立って、ウィーゼルの巣の方向とは違う、最初にウィーゼルを発見した小川のほうへ進んだ。

「小川のこの場所より先で、ウィーゼルの痕跡は、これまで発見されていないんだ。だからウィーゼルが来るのはここまでだってことだよね。博士はウィーゼルの行動範囲を地図に記すようにいっていた。何かいい方法はあるかな？」

「それじゃあ、まずウィーゼルの巣の場所を地図に書きこんで、そのまわりを、円を描くようにして痕跡を探して歩くのはどうかしら？」

ベアトリスが少し考えてからいった。

ダーシーもぼくもそれに賛成したので、3人で巣へ向かった。

巣の位置を地図に記したあと、巣のまわりを円を描くように、ウィーゼルの痕跡を探しながら、だんだんと範囲を広げていく。

紫色のネバネバしたものがかなり厚く張りついている木、ウサギの数がほかよりも極端に少ない野原などがしだいにわかってきた。

ベアトリスは、そういうものが見つかるたびに、ダーシーから地図を受け取り、いろいろ書きこんだ。この作業はかなり大変だったが、2時間ほど頑張ると、森の中をかなり広範囲にわたって探したことになった。

こうして、ナッカーの証拠がもうこれ以上見つからないというところまでやってきたぼくたちは、作業を急ぐために別れて探すことに決めた。

円の中心から遠くへ離れれば離れるほど、お互いの距離もまた遠くなる。

ぼくが200メートル程先まで、紫色の粘液を探して進んだとき
「ダニエル！　あんまり遠くへ行くなよ」というダーシーの声が聞こえた。

「うん、行かないよ！」と、ぼくが返したそのときだった。

先のほうに、気になるものが見えた。
行ってみると、背の高い柵が壊されている。
柵の向こうの木が傷つけられていて、まだ樹液がしたたり落ちている。
ということは、その傷はついたばかりということだ。
記録帳を取り出して傷の写生を始めると、ダーシーとベアトリスが走ってきた。
「何度も呼んだのに聞こえなかった？　もう！」ベアトリスは、強い口調でいった。
「見て、これ！」ぼくは壊れた柵と爪の跡を指差した。
それを見たダーシーは、
「大変だ……」とつぶやき、急いでうちへ帰らなくちゃ、といった。
家にかけもどったとき、ちょうど馬車がやってきた。
「あれは、ビリーとアリシアだろう。ぼくの分も挨拶をしておいて」
そういい残して、ダーシーは森の中へかけこんでいった。

第10章　神秘(しんぴ)といにしえのドラゴン学者協会

ドラゴンやドラゴンの卵(たまご)の取引は
絶対に防ぐべきである。

１８４５年11月　ドレイク博士の日記より

紋(もん)章(しょう)入りの、派手(はで)な大型の馬車が玄関(げんかん)前で止まった。二人いる御者(ぎょしゃ)も、おそろいのお仕着せを着ている。降(お)りてきたのは、正装(せいそう)した男の子と女の子の二人。

男の子は15歳(さい)くらいだろうか。

名門イートン校のジャケットを着て、どこにいても自分が注目され、中心になるのが当然だ、という顔をしている。

ぼくの学校の上級生にも、そういうやつはいるから、わかるんだ。

女の子のほうは、背はぼくと同じくらいだけど、ぼくよりは年上に見えた。

穏やかで優しそうだけど、一目見てすぐ覚えられる、といった顔立ちじゃない。

こんなにおとなしそうで、あの兄貴と一緒じゃ結構大変だろうな、というのがぼくの最初の印象だった。

ベアトリスとは違って、ふわふわの金髪を肩までのばし、森の中を草をふみつけて歩くのにはまったくふさわしくない、きれいな薄い生地のワンピースと、つばの広い、白いきれいな帽子をかぶっている。

「きみがダニエル・クック君ですか？　会えてとてもうれしいです。こちらがお姉さまですね。ぼくはビリー・ライトです。こちらはぼくの妹」

ぼくを見ると、そうはきはき自己紹介して、その男の子は、ぼくとベアトリスと握手をした。

　女の子もぼくたちと握手をし、少しはずかしそうな小さい声で
「アリシアといいます」と挨拶してくれた。

「きみたちも、今年のドラゴン学のサマースクールに出るんだろう？　ぼくの父はドラゴン大臣なんだ」

「ドラゴン大臣？」

「うん。父はルイス・ライトといって、チディングフォールド男爵なんだ。そうして、一般には知られていないけれど、ドラゴン大臣でもあるんだよ」

「じゃあ、政府もドラゴンのことを知っているの？」

と、ベアトリスは信じられないという顔つきで聞いた。

「もちろんだよ。知っているのは、ほんのわずかな人たちだけだけどね。首相は当然知っているさ」

「ウィリアム・グラッドストンさんが?!」ベアトリスがたたみかけて聞いた。

「うん、知ってるさ。女王だってね。女王は、ドラゴンにとても興味があるらしい。でも、ほかの閣僚はドラゴンについてはまったく知らない。ドラゴンが実在するということもね。でもぼくの父は、そのほうがいいといっているのさ。ドラゴンのためにも、人々のためにもね」

初めは、疑い深げに聞いていたベアトリスがいいだした。

「じゃあ、ドレイク博士の店で見た人は、政府の人だったのね。あの赤ら顔の人」

「ああ、それはたぶんティブスさんだと思うよ、父の秘書の」

「ドレイク博士がロンドンの店に置いているドラゴンについて、ちょっとした騒ぎがあったんだよ」

ビリーはそう、楽しそうにいった。

「私たちの両親はインドにいるの。仕事で」

「もちろん知ってるさ。きみたちのご両親はドラゴン調査隊のリーダーじゃないか。いま、インドのタタール砂漠のドラゴン、ナーガのあいだに未知の病気がはやっているらしいんだ。きみたちのご両親が、その病気について研究しているって聞いているけど？」

そうだったんだ!!

ぼくは内心、ひっくり返るほど驚いたけど、何となく、ぼくたちがそれを知らなかった、ということをビリーに知られたくなかったので、そんなことは当然知っている、という顔をしてうなずいた。

ちらっとベアトリスを見ると、向こうも同じことを考えているのがわかった。

「でも、事態が何か悪い方向へ向かってしまったらしい。だからこの夏、ご両親はイギリスへもどれなかったんだ。でも考えてみれば、そのおかげできみたちは、こうしてドレイク博士のサマースクールに来られたんだけどね」

「ええ、何か、緊急の事態が起こったらしいわね」

「うん。ぼくもまだくわしい話は聞いてないんだ。そういえば、博士はどこ？　森へ行っているのかなあ。みんなで探しにいこうか？」

「私は、家にいるわ」

　ベアトリスが断ると、それまでまったく会話に入ってこなかったアリシアも、ここで待っているといった。

「あなたも、ドラゴンについて学んでいるの？」ベアトリスがアリシアにたずねた。

「今回が初めて。去年ここに来たのはビリーとダーシーだけだったから。だから、私はビリーが教えてくれたことしかわからないの。でも、ビリーは女の子をあまり賢いと思っていなくて……。教えてもすぐに忘れてしまうだろうって、いつもいうの。女の子は、結婚して子どもを産むだけだから、ドラゴンのことについて勉強したって意味がないって」

アリシアがそういうと、ビリーは、少し肩をすくめた。

ぼくは仰天した。

こともあろうにベアトリスのいる前でそんなことをいうなんて！

こっそり顔を見ると、ベアトリスはにっこりと、一番よそいきの笑みをうかべている。うわあっ、とぼくは思った。

姉さんがこういう顔をするときは、だれかが怪我をすると思ったほうがいいんだ。今回だれが怪我するかは、はっきりしている。

おそれ多くもチディングフィールド男爵のお跡継ぎ、ビリーさまだ。

「父に、今年は私もここに来るようにいわれたの」とアリシアがいうと
「それも、ドレイク博士が父にそうするように約束させたからだけどね」

とすかさずビリーが口を出した。

これで決定だ。

一瞬、間が空いた。

ベアトリスはその笑顔のまま、ビリーを上から下までとっくりと眺めると
「そうすると、あなたのお母さまという方は、子どもを産むだけの、何にも覚えられないお馬鹿さん、だったのね」

と無邪気にいい放った。

今度はビリーが顔色を変える番だった。

何かいおうとして口を開けたが、何も出てこない……。

あ～あ、だからベアトリスはアリシアを怒らせないほうがいいのに！

つぎに、ベアトリスはアリシアのほうを向くと真面目な顔をして
「あなたとも、ゆっくりとお話したいわね」といった。

アリシアも、だまりこんでしまった兄をちらっと眺め、ほほえんで
「ぜひ」といい、二人はぼくたちに背を向けてとっとと家の中に入ってしまった。

ぼくたちが話しているあいだに、御者たちは二人の荷物を家の中に運びこみ、ビリーに挨拶して、馬車は帰っていった。

「そういえば、ぼくたちすごく妙なドラゴンの痕跡を見つけたんだ。もしかして、ドレイク博士は、そこにいるかもしれない」

ぼくはすごい情報を教えるつもりでいった。

「そんなことだろうと思った」

女の子たちの姿が見えなくなると、ビリーはたちまち元気を取りもどし、元のえらそうな態度にもどった。

「ぼくたちがさっきドレイク城に着いたとき、きみたちが林から逃げるように走ってくるのを見たんだけど、ダーシーはすごく不安そうだった。だからぼくは、またジャマールが逃げ出したんだろうと思ってたんだ」

「ジャマール？」

「アフリカドラゴンの、ワイバーンの赤ちゃんさ……。博士は、自分でジャマールを卵から孵化させたんだよ。父は、ドラゴンの卵を盗んではそれをロンドンで売っているという、シャドウェルドック出身のいかがわしい密売人がいるという噂を耳にしたんだ。でも密売された卵はほとんど孵化しないまま死んでしまったそうだけどね。まあ、孵化していたら大変だったけれどね。ところが、密売をまぬがれた卵が一つだけあったんだよ。それをドレイク博士が引き取って、ついに孵化させたんだ。博士は父に、そのドラゴンがある程度成長したらアフリカに帰す、と約束して育ててる。ワイバーンはゾウを狩れるほど巨大なドラゴンだから、成獣のワイバーンをこのサセックスに置いておくわけにはいかないから。それがどれだけ人なつっこいやつだとしてもね」

「その、いかがわしい密売人は、その後どうなったの？」

「ああ、捕まって刑務所に入れられたよ。でも、そいつを裁判で有罪にするのは難しかったらしいよ。なぜって、その犯罪があったこと自体を秘密にしておかなければならなかったし、そもそもドラゴンの存在自体が秘密だからね。その密売人は、オーストラリアに移住させられて、いまはオーストラリアのドラゴン学者のダンさんの厳しい監視のもと、シドニーの近くに住んでいるらしい。ダンさんはときどきこの密売人に、有袋ドラゴンの調査だとか、いろいろな仕事をさせているんだって」

ぼくは、こんなにいろいろな情報を一気に聞いて、頭の中がクラクラしてきた。

そこへ、ドレイク博士とエメリーとダーシーとガメイさんが一緒に帰ってきた。ぼくはほっとした反面、ビリーにこれ以上話を聞けなくなってしまって、残念な気もした。

ドレイク博士は笑いながら、「よく来たね、ビリー、アリシア」といった。

「さあ、夕食にしよう」

第11章　ドラゴン学を学ぶ

ドラゴン学者は常に冷静沈着であり洞察力に富み
機転がきかねばならない。

1846年2月　ドレイク博士の日記より

翌朝の9時に、ぼくたちはドレイク城の塔の部屋にいた。木製の机が3列に3つずつ並んでいて（だから9人分ということになる）、机の上にはそれぞれ、インク壺が置かれている。

壁には、ドラゴンの骨格やドラゴンのシルエットが描かれた絵、それも何種類もの違う姿のドラゴンの小さな絵が、あちこちにがびょうでとめられている世界地図がはってあった。

前のほうには黒板があって、その横には黒光りした、どっしりとした大きな木の戸棚があったが、扉がしまっていたので中に何が入っているかはわからなかった。

ビリーとぼくとダーシーは教室の一番前の席に座り、ベアトリスとアリシアは、前から二列目に座った。ぼくたちはみんな自分の記録帳を持っていた。

ドレイク博士が入ってきて、黒板の前に立った。

「おはよう、諸君」ドレイク博士が明るくいった。

「おはようございます、ドレイク博士」

「さあ、サマースクールを始めよう。ドラゴンは、一般には実在しているとは思われていないが、みんなも知っているとおり、ドラゴンも、ドラゴン学者も存在する。そうしてドラゴン学者の究極の目的は、希有な生きものであるドラゴンを保護することだ」

「だから授業の前に……。ビリーとダーシーはすでに『ドラゴン学者の誓い』をたてているので、今日は、３人にも、〝神秘といにしえのドラゴン学者協会〟の新入会員として同じ誓いをたててもらいたい。この協会はイギリスのドラゴン学者たちの組織だよ。我々は、Secret and Ancient Society of Dragonologist の頭文字をとって、S・A・S・D・と呼んでいる。ベアトリス、ダニエル、もちろん、きみたちのご両親は誓いをたてた正式な会員だ。さあ、３人は前に出て！」

すぐにベアトリスは席から立ち上がった。アリシアとぼくもあとに続いた。

博士はアリシアに誓いの言葉をくり返すようにいった。

「私、アリシア・ライトは、ドラゴンたちを保護し、決して傷つけたり、ドラゴンの秘密を明かしたりせず、ドラゴンの幸せを祈ることをここに誓います」

アリシアは誓いの言葉をくり返した。

続いて、ベアトリスとぼくも、同じ誓いをたてた。

「では、神秘といにしえのドラゴン学者協会へようこそ！」

こうして授業は始まった。

「ドラゴン学者は5段階にランク付けされている。すなわち、『ドラゴン学初級』『ドラゴン学中級』『前期ドラゴン学上級』『後期ドラゴン学上級』そして『ドラゴン・マスター』だ。初級はビリーやダーシーはすでに取得している。ただし、ドラゴン・マスターはここ数年は協会に存在していないがね」

「えっ、ドレイク博士でも、ドラゴン・マスターではないんですか？」

とぼくがきくと、ドレイク博士は笑いながら

「残念ながら違うよ」といった。

「ドラゴン・マスターはドラゴンたちが決めるんだ。7年前、最後のドラゴン・マスターが亡くなる前に、当時のドラゴン大臣、つまりビリーたちのおじいさんと話し合って、協会は後任のドラゴン・マスターを推薦しない、と決めたんだよ」

「その最後のドラゴン・マスターというのがエベニーザー・クルック、ですよね？」

と、ビリーがいった。

「そうだよ」

「クルック？　じゃあ、ロンドンでぼくが見たイグネイシャス・クルックという人は、最後のドラゴン・マスターの息子（むすこ）なの？」と、ぼくは思わず口をはさんでしまった。

「そうだ。イグネイシャスは、エベニーザー・クルックの息子だ。しかし、もしも会うことがあっても、彼（かれ）のいうことは絶対に信じてはいけないよ。万が一見かけたら、必ず私に知らせてほしい」

ドレイク博士はため息をついていった。

「世の中には、ドラゴンを保護するより、ドラゴンから得られる〝権力（けんりょく）〟や〝富〟を欲（ほ）しがる人もいるんだよ」

ドレイク博士がそういうと、今度はベアトリスがもう一度きいた。

「どうして博士は、ドラゴン・マスターではないんですか？」

「ドラゴン・マスターはレベルではなくて、名誉職だからだよ。この名誉はドラゴンたちによって授けられるものなんだ。知的なドラゴンたちは、自分たちで『ドラゴン協会』という組織を作っていて、ドラゴン・マスターになるにはその『ドラゴン協会』に認められなければならないのさ」

ぼくはもっと話を聞きたかったが、そのときはそれ以上質問するのはやめた。みんなも同じだったと思う。

ぼくは、ドレイク博士がドラゴン・マスターでないとすると、博士は「後期ドラゴン学上級学者」ということになるのかな、と思った。

＊

昼食のあと、ドラゴン学の本格的な授業が始まった。最初の授業は、〝ドラゴン学の歴史〟だった。

ドラゴンに関する記述は、古代のくさび形文字の文書の中にもあるのだそうだ。

「もちろん当時の人たちはドラゴンの存在を信じていた」

とドレイク博士はいった。

「その頃は自分の目で見た人たちが、たくさんいただろうからね」

それがある時期を境にどんどんそういう文書が減り、ついにはドラゴンは伝説の、つまり、この世にはいない生きものだということになってしまったのだそうだ。

それでも、いつの時代も、ドラゴンの存在を信じ、研究していた人たちはいた。

「この部屋にはそういう人たちの書いたものが、ほとんど集められている」

とドレイク博士は続けた。

「協会はいままでずっと、そういう記述を見つけられる限り集めてきたからね」

「もっとも、この部屋に置いてあるものは本物ではない。そういうものを注意深く写したものだ。きみたちが勉強するのには、写しで十分だろう」

それからドレイク博士は、ぼくが何が入っているんだろうと思った、黒い棚の扉の鍵を外して、中から古めかしい本をつぎからつぎに取り出した。

それからそれを1冊ずつ手に取ってみんなに見せながら、いつ、だれが書いた本で、どんなことが書いてあるか、という説明を始めた。

ドレイク博士はそういう本をすべて、ひどく、うやうやしく扱った。とくに有名（らしい、ドラゴン学者のあいだでは）な著者の話をするときには、声や説明に力が入った。

本の題名や、何人もの初めて聞く学者の名前がつぎからつぎへ紹介され、ぼくたちは必死で書き取った。

おどろいたことにそういう本は、ほとんどが、手書きのものだった。

たいていは、まだ印刷技術が発明される前に書かれたものだったからだ。

（ぼくは夏休みに入る前、ちょうどグーテンベルクの印刷機について習ったばっかりだった）

だから手書きなのは当たり前で、そういう時代には、本はすべてだれかが書いたものを〝写して〟できあがっていったのだ。話には聞いていたけど、印刷されていない本を見たのは初めてだったので、ぼくはわくわくした。

でも……、ということは、だれかがそれを読んで、自分も欲しい、と思わなかったものは写されないことになる……。

そうか。いつの時代も、ドラゴンに興味を持って、知りたい、と思った人たちはいたんだな、とぼくは思った。

そこには、ドラゴンを研究していた人の個人的な記録帳もたくさんあった。

そういうものも、果たして本といえるのだろうか……。

それが〝本〟なら、このぼくの記録帳だって、本だということになるのかな？

などということを手を止めてぼんやり考えていたら、ベアトリスに後ろから足をけとばされたので、ぼくはあわてて授業に意識をもどした。

どうやらぼくたちは、その〝本〟を読んで、先人の研究を学ばなければならないらしい……。

それはそうだ、とぼくも思った。

ほかの人がとっくに解いてしまったことを、研究するのは無駄だろう。

でもそういう〝本〟は、手書きでゴチャゴチャしているうえに、英語ではないものも結構あった。ラテン語が一番多かったけど、古代ギリシャ語や、あと、何語だか、見当もつかないものさえあったんだ。

うへえ～。

そりゃぼくだってラテン語はやっているけど、どちらかというと、ラテン語は苦手なほうだ。でも博物学をやるのに、ラテン語はイヤだ、なんていってられない。学校に帰ったら、つぎの学期からはラテン語は必死になってやろう……。

そうぼくが決心して顔を上げると、ドレイク博士が、ドラゴンが火を吹いているところを描いた本をみんなに見せているところだった。

「これは、ドラゴンがどうやって火を吐くかを、ついに解明した本だ。きみたちにも、ドラゴンがとても危険な動物であることを、しっかり認識してもらわなければならない。わかっていると思うが、ドラゴンは、火を吐く生きものなのだよ」

そういってドレイク博士は、その本を見せながら、ドラゴンが火を吐く仕組みについて教えてくれた。

ドラゴンは、まず、可燃性の毒液を霧状にして吹き出す。

そのとき、黄鉄鉱という石と火打ち石を小きざみにたたきあわせて点火する。

ドラゴンは、この2種類の石をほお袋の中に入れて持っている。

「ドラゴンによっては、この火花を発生させる石を遠くまで探しに出るようだよ」と、ドレイク博士はいった。

「ドラゴン学者は、災難をさけることも大事だ。怪我をしたら、研究できなくなるからね。ドラゴンには火を吐くほかにも危険なことがある。去年勉強したけれど、ビリーかダーシー、覚えているかい？　ドラゴン学者は、咬まれたり、火傷したり、かぎ爪で引き裂かれたり、尾で打たれたり、毒液をあびせかけられたり、絞められたりする以外に……」

「催眠術にかけられること」と、ダーシーが、ビリーより先に答えた。

「そうだ、よく覚えていたね。催眠術にかけられるのは、ほかのことより危険性が少ないように見えるから忘れられがちだが、あなどってはいけないよ」

「どういった種類のドラゴンが催眠術をかけることができる？」

「大きくて知的な種類だけです」と、ビリー。

「それに催眠術にかかるのは、知的な人間だけです。だから、女の子たちは心配することないね」と、ビリーは二人を見て、にやにやしながらつけ足した。

こりないやつだ。

ドレイク博士が静かに
「ここにいる全員、ドラゴンがその気になれば、催眠術にかかる可能性はある」

と、いいかけたとき、ドシーン、と突然大きな音がして、建物がゆれた。

みんないっせいに立ち上がった。

「見て！」とアリシア。

みんなで窓から下をのぞくと、大きなドラゴンの頭が見えた。

こいつに比べれば、ナッカーもスコーチャーも可愛いもんだ。

そいつはぼくたちを見つけると、興奮して窓に突っこんできた。

そいつには巨大な翼と大きな後ろ脚があったが、前脚は見えなかった。

「ジャマールが挨拶をしにきたんだ」と、ビリーが陽気に叫んだ。

ジャマールの後ろで、エメリーがガラスのビーズがいっぱい入った容器を振りまわして、ドラゴンの注意を引こうとしている。

でも、ジャマールはエメリーには知らん顔で、壁をドシン、ドシンと打ち続けた。

建物は地震にあったようにゆれた。

「外に出たほうがいいんじゃないですか？」とぼくがいうと
「もう少し待ちなさい」と、ドレイク博士はいった。

エメリーは顔を真っ赤にしてジャマールの前にまわりこんだ。

そして、ガラス製のビーズが入った容器を、そいつの前に置いた。ジャマールは容器をちらりと見たが、ふん、という顔をして壁打ちを再開した。

突然エメリーが、ビーズの入った容器を拾い上げて自転車に飛び乗った。

そして、ふらつきながらも森へ向かって猛スピードで自転車をこいでいった。

すると、自分へのおくりものを横取りされたと思ったのか、ジャマールは、エメリーのほうにキッと顔を向けた。

うなり声をあげてその大きな体の向きを変え、エメリーのあとを、ドシンドシンと追いかけていく。

間もなく、ジャマールは木々の中へと姿を消し、ぼくたちの興奮もおさまった。

そうして、博士がエメリーを助けるために出ていくと

「でも……、こんなこと、父に知れたら大変だ」

さっきとは打って変わってかわいた声で、ビリーがぼそっといった。

第12章　ふたたびスコーチャーに

ドラゴンがみな、催眠術を使いこなせるわけではない。
それならかなりの問題が解決するのだが。

１８４６年３月　ドレイク博士の日記より

ドレイク博士がエメリー救出に行ったため、その日の授業はそこで終了となり、そのかわり宿題が出た。

もっともあれだけ新しいことばかり聞かされたら、一日分としてはもう十分だと思ったけど――。学校の授業より、ずっと大変だ。

ベアトリス、アリシア、ぼくの3人への宿題は、壁の地図にびょうでとめられている絵のドラゴンが、どの種類か調べ、本を参考に説明文を書くというものだった。

ビリーとダーシーは、何かが書かれた紙をドレイク博士から受け取っていた。

ぼくはすぐにドラゴンたちの大まかなスケッチを自分の記録帳に描(えが)いた。

そして、どの絵がどの種類のドラゴンか考えた。

ウィーゼルみたいなかたちをしたドラゴンは、ナッカーだ。

ワイバーンも、ジャマールみたいなかたちなので、すぐにわかった。

ヨーロッパドラゴンも、スコーチャーが大人になったかたちなので、問題なし。

「ヨーロッパドラゴンは山の中か海の洞穴(ほらあな)にすんでいる。体長が12〜13メートルもあり、火を吐(は)くんだ。おもにウシ、シカ、ヒツジを食べる」

と、ビリーが教えてくれた。

「スコーチャーが火を吐いているところなんて、見たことないよ。煙(けむり)だけならあるけど」と、ぼくがいうと、「まだスコーチャーは赤ん坊(ぼう)だからだよ。ちゃんとできるようになるには、もう少しかかると思うよ」と、ビリーはいった。

「じゃあ、このドラゴンは？」

オーストラリアの上にびょうでとめてあるドラゴンを指差して聞くと
「それは、有袋ドラゴンだよ。オーストラリアの——。ぼくもまだ見たことはないけど、自分の子を火のように熱い袋の中で1頭ずつ育てると、ドレイク博士がいっていたよ」

ぼくは、さっきドレイク博士が見せてくれた本をあれこれ調べて、記録帳にドラゴンの名前と説明文を全部書き上げた。

アリシアは部屋のすみにいるビリーに、ビリーが手にしている紙を指して聞いた。

「それにはどんなドラゴンが描かれているの？」

すると、ビリーは、アリシアに紙を見られないように体の向きを変えた。

「これは上級ドラゴン学だ。きみたち女の子はそこまでのレベルにはとうてい到達しないだろうから見る必要はないよ。ダニエルには見せるけどね。ダニエルは理解できるから」そういって、ぼくにウィンクした。

ぼくはウンザリした。

ベアトリスはぼくの姉さんだ。

ベアトリスを侮辱するってことは、ぼくのことも侮辱してるんだってことを本当にビリーがわかっていないんだったら、ビリーはよっぽど頭が悪いってことになる。

全部調べ終えてぼくたちが下に降りていくと、ドレイク博士とエメリーがもどってきた。ジャマールを無事つかまえ、柵の修理も終わったらしい。

その晩、ビリーがドレイク博士と話をしているすきに、ダーシーがぼくのところにそっとやってきて、さっきビリーが持っていた紙を見せてくれた。

その紙には、2頭の、ドラゴンらしきものが描かれていた。

1頭は、古代の大聖堂の壁にいそうな感じの、手と足にかぎ爪のあるドラゴンで、ガーゴイル（ガルグイユ）というらしい。

もう1頭は、ドラゴンというよりは、性悪のカラスみたいなやつだ。

それはコカトリスと呼ばれていると、ダーシーが教えてくれた。

「博士が、コカトリスはドラゴンではないけど、最高に危険な生きものだっていってた。息を吹きかけただけで、獲物を殺すことができるらしい。とても数が少なくて、普通は地中海地方の山林にすんでいるけれど、ボグ・クロウという名前のやつが、イングランドかウェールズのどこかにすんでいるし、何頭かは北アメリカにも移住したんだって。博士は、あの乗客・乗員がこつ然と姿を消して幽霊船となったメアリ・セレスト号の伝説も、コカトリスが原因じゃないかと考えているみたいだ。コカトリスが乗客を皆殺しにして逃げたんじゃないかって……」

ベアトリスとアリシアにも見せてあげようと思い、ダーシーと二人で女の子たちの部屋に行き、ドアを叩いてみた。

返事がない。

もっと強くたたくと

「ごめんなさい。Q·T·B·のため、閉まっております！」という声が聞こえた。

「ベアトリス、コカトリスを見たくない？」

そう声をかけると、ドアがパッと開いた。

部屋の中には、ベアトリスとアリシアの描いたドラゴンの絵が散らばっている。二人の記録帳とダーウィンの『種の起源』が開いたまま置いてあるのが見えた。ベアトリスが、アリシアに自分がわかったところを教えていたようだ。

アリシアは、床に広げた大きな地図と、ドラゴンやドラゴン学者が描かれた絵のそばに座っている。

「Q·T·B·って何？」と、ぼくは聞いた。

「クラブよ。男の子は入会禁止の」

「そう、まあいいけど。このコカトリス、見たくない？」

すぐにベアトリスは、それを写そうと紙を持ってきた。

「いいの？」と、ベアトリスはダーシーに聞いた。

「もちろん、いいよ。だから持ってきたんだから」

「ありがとう」ベアトリスは熱心に絵を写し始めた。

「Q・T・B・って、ゲーム？　どうやって遊ぶの？」

「ごめんね。Q・T・B・の会員だけにしか教えないの」

「じゃ、Q・T・B・って何の略（りゃく）なのさ？」

「Quicker Than Boys（クイッカー ザン ボーイズ）の頭文字よ。男の子たちより素早く、という意味よ」

ベアトリスは、それこそ素早く答え、素早くぼくたちを追い出して、ドアをバタン、と閉（し）めた。

つぎの日は、東洋のドラゴンの概要について学んだ。

例えば西洋のドラゴンは、たいていは凶暴な怪物だとされているのに対し、東洋では、人間を助ける善意の存在だとみなされていることなどを……。

ヘビ踊り（ヘビ、というが、ドラゴンのことだそうだ）やドラゴン・ボートレースやドラゴン祭りなども、ドラゴンをたたえるために行われていることも知った。

午後には極地にすむヨーロッパドラゴンの、フロストドラゴンについて学んだ。

ぼくたちは、協会の調査官による目撃情報をもとに、フロストドラゴンの渡りのルートを図に書きこんだ。

その中の一つには、北インドへのルートもあった。

ぼくは、ふと、これは両親が報告したのかもしれないと思った。

サマースクール3日目はドレイク博士が留守だったので、エメリーとガメイさんが教師になった。

ガメイさんは、ドラゴンはヘビやワニのように生涯を通してずっと成長し続けるという話をしてくれた。ぼくたちはドラゴンのいろんな絵を見て、年齢を推定した。エメリーが見せてくれたひと続きの絵から、ドラゴンの胎児がどうやって成長するかも学んだ。

4日目の午前中、ドレイク博士は、ドラゴン学者の装備品の説明をしてくれた。耐炎性マント、ドラゴン呼び笛、コンパスつき望遠鏡の使い方などを……。ドレイク博士は説明しながら、ドラゴンを呼び寄せることができる、ドラゴン呼び笛だけは吹かないように、といった。

「使い方がわからない道具はとても危険だ」と、博士はいった。

「どのドラゴンが来るのかわからないうちは、使ってはいけないよ」

「さあ、今日このあとは、スコーチャーに会いにいこう。でも気をつけるんだよ」

と、ドレイク博士は、とくにぼくを見ていった。

「あと少しでスコーチャーの病気も完全に治る。そうしたら、故郷に返しにいかないといけないからね、その前にスコーチャーにみんなを覚えておいてもらおう」

ドレイク博士はまるで自分のことのように、うれしそうにいった。

ぼくたちは納屋へ行き、ドレイク博士が鍵を開けた。

博士が一番に中に入り、スコーチャーの機嫌を確かめると、ぼくたちを呼んだ。

スコーチャーは小屋のすみで眠そうにしていた。

もうかごの中には入っていない。

石炭や、ピカピカ光る銀のナイフ、フォーク、スプーン、2枚の古い皿、そして壊れた鏡のかけらなどの山の上に座っている。

「ドラゴンの巣をまねてつくったんだよ。スコーチャーのようなまだ赤ちゃんのドラゴンは、ほとんどの時間を母親の巣で過ごすんだ。飛ぶ練習を始めるまではね」

ドレイク博士はポケットからガラスのビーズを取り出し、スコーチャーに見せた。

すると、スコーチャーは急にピンと背筋をのばし、金切り声をあげた。

「少し後ろに下がって、見ててごらん」と、博士がぼくたちにいった。

博士がビーズを見せると、スコーチャーはがらくたの山の上から降りて、ぼくたちのほうへピョンピョンとはねて向かってきた。

スコーチャーはこちらに向きを変え、そのとき、ぼくを見つけた(ように見えた)。ぼくのことを覚えていたのだと、思う。

そうして、ぼくの目をじっと見た。

ぼくはまた、目をそらすことができなくなった。

スコーチャーのほうへ近づいていきたい。

ぼくがふらふら歩き始めると、だれかが止めようとして引っぱった。

ぼくはそれを振り払った。

ベアトリスが叫んでいる。

スコーチャーが金切り声を上げて、翼をバタバタとさせた。

＊

ぼくは、そのあと、何が起きたかまったく覚えていない。

気がつくと自分のベッドの中だった。ベアトリスとドレイク博士の顔が、心配そうにぼくを見下ろしていた。

「ダニエルは大丈夫なの？　ダニエルに何が起きたの？」

ベアトリスの声が動転している。

「残念ながら、ダニエルは弱い催眠術にかかってしまったんだ。すまなかったね。この前のこともあったのだから、もう少し用心するべきだった。でも、ダニエルは大丈夫だよ」

博士はぼくの体を抱き起こすと、コップから何か飲ませた。
ものすごく苦かったので、この前の薬草だろうとぼんやり思ったのは覚えている。
「何が起きたの？」ときいたつもりが声にならなかった。
「眠りなさい」
ドレイク博士は静かな口調でいった。
じきに、ぼくは意識がもうろうとしてきて、考えることができなくなった。
そしてそのまま、長く、深い眠りについた。

第13章　ティブスさん

ドラゴン学者は絵もうまくなくてはならない。
正確な絵は正確な知識となるのだから。

１８４６年３月　ドレイク博士の日記より

ぼくは悪夢を見ていた。夢の中で、ドレイク博士やベアトリスの顔が何度もうかび、奇妙にゆがんでは、ジャマールやスコーチャーの顔に変身し、またもとにもどっていった……。

冷汗をびっしょりかいて目を覚ますと、そこはドレイク城の自分のベッドで、あたりにはだれもいなかった。

ベッドから足をおろすと一瞬めまいがしたが、深呼吸してしばらく待っていたらおさまったので、ぼくは台所に降りていった。

台所では、エメリーがコーヒーをわかしているところだった。

「おはよう」ぼくを見ると、エメリーはうれしそうにいった。

「大丈夫かい？　きみは3日も眠っていたんだよ。元気になって本当によかった。スープ、飲めそう？」

ぼくは、椅子に座ってうなずいた。

3日？　3日もたったのか?!

「こんなことになって、ぼくはまだドラゴン学をさせてもらえるのかな？」

「ああ、それは心配しないで大丈夫だよ。さあ、スープを飲んで！」

おそるおそる熱いスープをすすっていると、ベアトリスが台所に飛びこんできた。

「ああ、よかったわ、ダニエル。本当に大丈夫？」

「うん、もう、何ともない」というと、ベアトリスはほっとした顔をした。

飲み終わると、エメリーが、目が覚めたことをドレイク博士に報告してきなさい、といったので書斎に行った。すると部屋の中からどなり声が聞こえてきた。

ぼくはその声に聞き覚えがあった。

ロンドンの店の地下で聞いた声と同じだ。

「では、コーンウォールからの報告は？　夜中、農場に巨大な炎を出す怪物がやってきて、ヒツジをさらっていったっていうのは？　スコットランドの東海岸で、翼の生えた大きなヘビが飛び回っているのを旅人が見てこわがっているという話は？　まだ新聞には載っていないが、頭がおかしい人間たちのでっち上げだなどと、ごまかすのも、もう限界ですぞ」

「お言葉ですが、それはうちの協会とはまったく関係のない話ですよ。もちろん、とても深刻な展開であることは認めますが……」

　ドレイク博士の返事も聞こえた。

「それならきみがロンドンの中心地で、きわめて危険なドラゴンを飼っているという事実は、協会と関係ないですかな？　もちろん我々もきみが、できる限りドラゴンを助けようとしているのは十分わかってはおる。だが、そのドラゴンを、我々の首都にまで連れてきてしまうというのは、非常に遺憾だとしかいいようがない」

「それも何度もご説明したと思いますが、スコーチャーは私がロンドンに連れてきたわけではありませんよ。まあ、だれがやったのかは薄々見当がつきますがね」

　ドレイク博士の声は、おだやかだった。

「きみはイグネイシャス・クルック氏とは不仲のようですからな。クルック氏のほうもきみのドラゴン学に対する興味が、災難を招きそうだと忠告してきたのです。クルック氏が、ロシアのドラゴン学協会から来られたご婦人にきみの店を見せようと連れていったところ、きみが何をやっているか見てしまった、とのことだ」

「イグネイシャスが、朝の4時、という時間に店を訪ねてきたときのことですか?」

と、ドレイク博士が皮肉っぽくたずねた。

「人を訪ねるのには、はなはだふさわしくない時間だと思いますがね。いったいイグネイシャスはそんなに朝早く、そのご婦人に何を見せようとしたんでしょうな。スコーチャーを置きにきた、というならそれはそれで筋が通っていますがね。それに、大臣は私のやり方を信頼してくださっているはずですよ。でなければ大事なご子息を、私のサマースクールに来させるわけがないですからね」

「ふん。私だって大臣のお考えを何もかも理解しているというわけではない。大臣も私も、これまできみがかかわったドラゴンの事件をもみ消すのに、ずいぶん時間を使ってきた。きみはいつだって人間とドラゴンの両方を守るために、必要最低限のことをしているだけだというが、本当は例の宝物を探しているのではないかね?

当時のドラゴン大臣とエベニーザー・クルック氏の判断で、ドラゴン協会に保管されるべきだとされた、あの宝物を……。」

「それを探しているのは、グネイシャス・クルックのほうではないんですか？」

ドレイク博士が切り返した。そして、さらに続けていった。

「イグネイシャスは、父親に信用されなかったのが、相当ショックだったんですな。それで、ドラゴン・アイは不当に〝盗まれた〟、といいだして……」

「彼が過去に過ちを犯したことは、我々も承知しているが、いまではドラゴンに対する興味は純粋に学問上のものに過ぎないと、大臣に誓っておりますぞ」

「ところで、彼が一緒にいた女性はどなたですか？」ドレイク博士がうんざりしたように、話題を変えた。

「名前はアレクサンドラ・ゴリニチカといって、ロシア・ドラゴン学者協会の中心人物らしい……。ここへは研究目的で来ているようだが……」

「そうですか。何の研究をしているのでしょうね？」

「それは私にはわからないが、ドラゴンの病気とか何とかだったような……。でも、それはあまり関係ない。大臣はきみが面倒をみているあの2頭のドラゴンを、いつ手放すつもりなのかを知りたがっておられます。まさか飼い慣らそうとしているんじゃありますまいな？　ジャマールを敷地から出さないようにすることすらできないといった報告も届いていますぞ。サセックスの田舎で、これ以上事件が起きて、我々がしりぬぐいするようなことにならないようにしてもらいたいもんですな」

ティブスさんの声は、次第に荒々しくなっていった。

「ジャマールがちゃんと飛べるようになりしだい、私が北アフリカへ連れていきますよ。それまでしっかりと管理するよう、最大限の努力をします」

ぼくは、この会話を、立ち聞きしていることになるのも忘れて夢中で聞いていた。

突然、ぼくの後ろで物音が聞こえた。だれかが階段を上ってくる！

ぼくは、あわてて、ここへいま来たばかりのような顔をしてノックした。

すると、部屋の中の声がピタッとやんだ。ドアが開くと
「おや、ダニエル。チディングフォールド男爵の秘書のティブスさんがいらしていたんだが、ちょうどいま帰られるところだよ」

ドレイク博士は、何事もなかったようにいった。

「まあ、お話しすべきことは全部話しましたかな。それにしても、気をつけてもらわないと、ドレイク。納屋が火事になったとか、農家のヒツジがいなくなったとかいったニュースは、もう聞きたくないですからな！」

そういいながら、ティブスさんは、荒々しくぼくに会釈をして出ていった。

「やれやれ。ダニエル、もう大丈夫になったようだね？　しかし、スコーチャーには驚いたね。どうやら、前にきみを操れそうになったことを覚えていたらしい。このつぎスコーチャーに会うときには、十分に用心したまえ」

ぼくは、そうします、と答えた。

第14章　ドラゴン協会

ドラゴン学者の中には、真のヒーローの名に値する者が数多く存在する。

１８４７年４月　ドレイク博士の日記より

部屋の外に出ると、ベアトリスが待っていた。

「この3日間、ぼくがいないあいだ、何をやってたの？」

「おもには協会の歴史について、だわね。かいつまんでいえば、魔法使いマーリンが西洋ドラゴン学の創始者だといわれているけれど、本当は１２８１年まで、協会は存在しなかったんですって。

　イングランド王エドワード一世がイギリスじゅうのドラゴンの絶滅を命令したとき、かなりたくさんの騎士が参加して、そのためにドラゴンたちはかなり悲惨な状況になったらしいの。でも、ベアトリス・クロークという名の、女性ドラゴン学者を含む数名が、ドラゴンを助けようとしたの」

「ベアトリス？　姉さんと同じ名前じゃない」

「そうよ。彼女は魔女だといわれて火あぶりにされそうになったんだけど、スコットランドへ逃げて助かったらしいわ。それ以前、ドラゴンたちは、ほかのドラゴンたちとあまり行き来せずに、ひっそりと暮らしていたのよ。それなのにそんな状況になってしまったので、お互いに連絡を取りあって、イギリスドラゴン協会を結成して、人間と戦おうとしたの。そして、ドラゴンがロンドンやヨークなどの大都市を焼きつくそうとしたところを、ベアトリス・クロークがなんとか説得して、止めることに成功したってわけ。聡明な彼女の知恵で救われたわけよ。その後、彼女はそのときの戦いで亡くなったドラゴンたちの宝物を隠すのを手伝い、ダニエルという名の息子とともに、ドラゴン保護のための人間の側の組織を作ったの。それがこの国の〝神秘といにしえのドラゴン学者協会〟……つまりS.A.S.D.で、それが世界初のドラゴン学者の協会になったわけよ」

「ダニエル？　じゃあ、ぼくたち、その人たちの名前をもらったんだね！」

ぼくは思わず大きな声を出してしまった。

「そうみたいね。いまじゃ、各国にドラゴン学者協会ができているそうよ。そうして、S.A.S.D.は、これまでに12個もの宝物を保管してきたの。その12個は、それぞれ、ドラゴンに対して何か特別な力があるんだって」

ベアトリスは、ぼくに話しながらだんだん興奮してきたようだ。

「そしてね。エベニーザー・クルックは、亡くなる前に、預けられるような信頼できる人がいないからといって、その宝物をドラゴンたちに返したそうなの」

「そうか、わかった！　イグネイシャスはエベニーザーの息子だよね。だから、その宝物は当然自分のものになるべきだと思って、欲しがっているんだ！」
「そのとおり！」

ぼくは、ベアトリスの記録帳にあった、その宝物のリストを写させてもらった。

S・A・S・D・の特別な力がある12個の宝物

注意：ほとんどの宝物は、呪文なしでは効き目がない。

1　魔術師マーリンのお守り

ウェールズでつくられたお守り。強大なるドラゴンを呼びよせる力がある。ただし、正しい呪文が必要。

2　スプラターファックス

ロシア人の祖先といわれるヴァイキング、ルーシ族のアミュレット（魔よけ）。

敵に岩の雨を降らせることができる。伝説によると、１０６６年にノルマン人のヴァイキング、ハラルド・ハルドラーダ王が所持していたが、使われないまま、スタンフォード橋の戦いでどこかに消えてしまった。

3　セント・ペトロックの聖杯

古代コーンウォールの杯で、杯の縁には病気のドラゴンを治す薬が塗られている。ただし、薬は、この杯の中で混ぜなければ効き目がない。

4　アブラメリンのドラゴンをひきよせるお守り

イギリスで作られた、鉄製の六角形の装飾品。

宝石をはめこんであり、特定のドラゴンをひきよせるために使われる。

5　ドラゴンのかぎ爪

中国ドラゴンのもの。さまざまな魔法の材料として使われる。

6　セント・ジョージの槍

細身の投げ槍であるが、ドラゴンを殺せるほどの固さと鋭さを持つ。

7　ドラゴンの粉が入った小箱

ドラゴンの粉は、貴重なもの。オーストリアで1280年代に収集されたものがあるが、それ以外はもっとあとの時代のもの。

8　リベル・ドラコニス

ギルダス・マグヌスによりドラゴン文字で書かれた本。もとは、スペインのセビリアで書かれたものの複製といわれる。真のドラゴン学者だけが読み方を教えてもらえる。

9　セント・ギルバートの角

イギリスのドラゴンを呼びよせることができる角笛。ドラゴンの粉とともに使えば、何週間ものあいだ、そのドラゴンを操ることもできる。

10　ドラゴンの杖

ドラゴンの一団を呼び集める力を持つが、それができるのはたった1回だけで、その後、杖は粉々になってしまうといわれている。が、まだ使われたことはない。

11　ドラゴンの血をつめた小瓶

ドラゴンの粉と同様、ドラゴンの血は非常に貴重。とても危険だが、少量であれば、ドラゴン語の習得に役立つ。この小瓶の血は、インドで採取されたもの。

12　ドラゴン・アイ

この前のドラゴン・マスターが亡くなって以来、失われている。ドラゴン・マスターを承認する力があり、ドラゴン・マスターの死亡時には、つぎのドラゴン・マスターが選ばれるまでドラゴン協会で保管される。


「そうそう。ドラゴンは話せるって知ってた?」

「えーっ、知らないよ」

「ドラゴニッシュというのよ。つまりドラゴン語ね。ドラゴン語は、ドラゴンの中でも頭のよい種類だけが話すんですって。呪文には、ドラゴニッシュのものもあるらしいわ。でも、そういうのはドラゴンの粉と一緒に使わないとだめらしいけど」

ベアトリスの話はどんどん複雑になっていく。

「ドラゴンの粉って、いったい何？」

「ドラゴンの母親は子どもを産むとき、特殊な息を吐くんですって。それが、巣の中の壁にあたって液化し、それがかわいて、銀のようにつやのある固体になって壁にくっつくのよ。それをはがして粉にしたものが、ドラゴンの粉なんですって」

「呪文の言葉は？」

ベアトリスは、記録帳の、アブラメリンの呪文を書きとめた部分を見せてくれた。

月の光を照らした水で3回洗った銀の皿に、ドラゴンの粉を盛り、つぎの呪文を唱えてドラゴンにかける
イヴァハスィ　イイウドウイン！
エニムオール　タイム　インスペルツ！
ボイアール　ウグオネール　ゲディィット！

「でもおとなしく粉をかけられているドラゴンなんて、いるかな？」

「私もそう思ったわ。でも本気でドラゴンを自分の思いどおりに操りたいと思う人がいたら、もしかして、頑張るかもしれないわよ」

＊

つぎの日からは、ぼくも講義に復帰した。

「世界じゅうにはいくつもドラゴン学関係の協会があるが、今日はドラゴンたち自身が作ったドラゴン協会について話そう。協会はそもそも、エドワード一世がドラゴン絶滅の命令を下したとき、それに対抗するためにイギリスのドラゴンたちが結成したものだ」

ベアトリスから聞いた話だ！　と、ぼくは思った。

「いままでは、7頭のドラゴンがリーダーとして行動している。彼らは7年ごとに集まり、さまざまな問題について話しあっている。招聘されれば、人間のドラゴン・マスターも参加する。そうしていままではイギリス以外の地域のドラゴンたちとも、必要ならお互いに連絡を取りあうようになってきつつあるようだ。

いまのドラゴン協会の最高位のドラゴンは、ガーディアンという名の、実に賢い雌ドラゴンだ。彼女の巣の場所は最高機密だが、そこには、エドワード一世によるドラゴン虐殺の時代に、ドラゴンたちが貯めこんだ、たくさんの財宝が集められているといわれている。

イギリスのドラゴンたちは、もともと人間とさほどかかわりたがっていなかったが、虐殺時代からは必要とあらば人間ともつきあわざるを得ないということで、ドラゴン協会のドラゴンたちとやりとりができる人間を一人決めることにしたんだ。それがS·A·S·D·ドラゴン・マスターなのだよ。そして、ドラゴン・マスターには何かその証拠となるものが必要だということになった。その7頭以外にもドラゴンたちはいるのだからね。それが、ドラゴン・アイだ。いわば、身分証明書みたいなものだね。

ドラゴン・アイは、完全な球体の宝石で、はるか昔からドラゴンたちの宝だったらしい。大きさは、そうだな、私の手のひらには乗らないくらい大きいね」

博士は手を広げ、大きさを示してから話を続けた。

「地球上で一番固いものは、一般的にはダイヤモンドだが、じつはドラゴン・アイはダイヤより固いんだ。つまり、ドラゴン・アイを傷つけられるものはないってことになる。それに、強力な魔力も持っている。どんな力か、詳しくは知らないが……。ドラゴン・マスターだけが、ドラゴン・アイの力と使い方を、教えてもらえることになっているんだ。

毎回ドラゴン・マスターが選ばれると、ガーディアンは自分の吐いた炎で、その新しいドラゴン・マスターの姿をドラゴン・アイに焼きつけ、渡すことになっている。だれがドラゴン・アイをのぞいても、そのときどきのドラゴン・マスターたちの姿がうかび上がってくるんだ。

もし、新しいドラゴン・マスターがいない場合は、ドラゴン・アイはガーディアンにもどされる。そういった事態はめったになかったが、これまでに一度だけあった。エリザベス女王（一世）の時代にね」

「さて、ここまでで何か質問はあるかね？」と、ドレイク博士。

「ガーディアンだけがドラゴン・アイを授けられるのなら、ドラゴン・マスター以外の人は手に入れることができないから、安心なのではないですか？」

ぼくの質問に、ドレイク博士の表情は暗くなった。

「いや、それがあるかもしれないんだよ。どうやらどのヨーロッパドラゴンでも、成獣でありさえすれば、ドラゴン・アイにだれかの姿を焼きつけることは難しくないらしいのだ。それなら操られて、そうするドラゴンが出てきてもおかしくはないだろう？」

「でも、そのためにはセント・ギルバートの角とドラゴンの粉が必要ですよね？」

と、ベアトリスがいった。

「よく勉強しているね」と、博士はベアトリスをほめた。

「そう、そのセント・ギルバートの角だが……」と博士は続けた。

「残念なことに、どうやらいまあれを持っているのはイグネイシャスなんだ」

えっ？　そんなの、危ないじゃないか！

ぼくとベアトリスは驚いたが、ビリーやダーシーはすでに知っている話らしく、暗い顔をしてうなずいていた。

「何年か前にイグネイシャスは、セント・ギルバートの角を守っていたドラゴンのところから、角を盗み出したらしい」

「でも、ドラゴンの粉のほうは、いまはだれにも取ってこられないところにあるから心配はいらないと思うよ」

「博士は、ドラゴン・アイがいまどこにあるか、ご存知なんですか？」

ビリーが聞いた。

「正確に知っているわけではないが、見当がつかないわけでもないよ」

「でも私は、よっぽどのことがない限り探そうとは思わんよ」

と博士は付け加えた。

「さあ、これでドラゴン協会のことについては十分学んだはずだ。昼食のあとは、もっとおもしろいことをしよう！　ジャマールに会いにいくんだ」

第15章　ジャマール

若(わか)いドラゴンの飛行練習を見て、魅了(みりょう)されない者はいないだろう。魅力的(みりょくてき)なだけでなく、感動的なのである！

１８４９年３月　ドレイク博士の日記より

昼食のあと、全員が家の前に集合した。

「いまはジャマールに飛ぶ練習をさせているんだが、今日は、みんなにも手伝ってもらおう。そうすればダーシーにも、少しは楽をさせられるからね」

そうか！　これで、ときどきダーシーがどこかへ消える理由がわかった。ずっと、ジャマールの世話をしにいっていたのだ。

エメリーが、リンゴのたくさん入った大きな手押し車を押してきた。

「あれっ？　リンゴはドラゴンには毒じゃなかったんですか？」

とビリーがきいた。

へえ、そうなんだ～。

「他のドラゴンにはそうらしいが……」

と、ドレイク博士は一つ取って、自分でもかじってみた。

「ジャマールはリンゴが大好きなんだ。うちの果樹園のリンゴをまるまる1本分、食べてしまってね。最初大あわてしたんだが、ジャマールだけが大丈夫なのか、イギリスのドラゴンだけが大丈夫なのかわからないが、とにかく何ともないんだよ」

ドレイク博士が一つずつくれたので、みんなでリンゴをかじりながらしばらく森の中を歩いていくと、背の高い柵が見えてきた。

柵のあちこちに、修理された跡があった。

柵にそって薄暗い森をさらに進んでいくと、門があった、エメリーが鍵を開けてくれたので、ぼくたちはみんなで中に入った。

そのとたん、茂みの中からガサガサッという音が聞こえ、ぼくたちのだれよりも背の高いジャマールが、得意げに翼をバタバタさせながら走ってきた。

「やあ、ジャマール。元気だったかい？」

ドレイク博士は、うれしそうに声をかけた。

「飛ぶ練習だよ。広いところへ行こう」

柵を入ったところにはうっそうと木々が繁っていて奥が見えなかったが、そこを突き抜けると、驚いたことに牧場のような空き地に出た。

あちこちに高い木が何本も立っている。

ちょうどいいところに枝が突き出ていて、のぼりやすそうだ。

「さあ、みんな、お互いに離れた木を選んでのぼってくれ。そうしたらリンゴを投げるからね。自分のところにきたやつは受け止めるんだよ」

とエメリーにいわれた。

ぼくとビリーとダーシーは、すぐにのぼり始めた。

「女の子たちは、無理してのぼらなくていいんだぜ」

ビリーが振り向いて、小馬鹿にしたようにいったときには、もうベアトリスは半分のぼっているところだった。しかも、ビリーより高い木を選んで!

アリシアは初めからのぼらずに、手押し車のそばに立った。

ジャマールの目は、エメリーの運んできたリンゴにくぎづけになっていた。

エメリーが、早速一つ、ジャマールに向かって放り投げると、ジャマールは上手に受け止めて、かぶりついた。

リンゴがくだける、シャリッという、気持ちのいい音がした。

おいしかったのだろう……。

ジャマールは慣れてないぼくにもはっきりわかるくらい、うれしそうな顔をした。

「じゃあ、いくぞ！」

とエメリーは声をかけると、ジャマールの目を見ながら、木のてっぺんに陣取ったダーシーに向かって、リンゴを高く放り投げた。

ジャマールはそのリンゴを目で追いかけ、ドタドタ走っていってジャンプしたが、もう少しのところで届かなかった。

ダーシーは何度もやったことがあるのだろう。軽々とリンゴを受け止めてから、ジャマールに声をかけながら、今度はビリーに向かって投げた。

ジャンプしても届かないということがわかったジャマールは、折りたたんでいた翼を広げ、ゆっくりとバタつかせ始めた。

何という素晴らしい光景だろう！

目の下には、3メートルもの、巨大なドラゴンの子どもがいて、それが翼を広げ、飛ぼうとしている！

ジャマールの飛ぶのにあわせ、今度はビリーがぼくに向かって、リンゴを投げた。

ちょうどジャマールが、ちょっと飛べば届くくらいの高さに――。

ジャマールはバタバタと、ぎこちなく少しはばたいて飛び上がると、空中でリンゴを捕まえ、得意そうな顔をして飲みこんだ。

エメリーはアリシアに渡されたリンゴをぼくたちに投げてよこし、つぎはだれに、どの高さで投げたらいいのか指示し始めた。

あとで聞くと、エメリーはアメリカで、野球というボールを投げるスポーツの選手だったそうで、木の上で不安定な格好をしているぼくたちの胸元に、リンゴをおもしろいように正確にピシッと投げこんできた。それも、一瞬もジャマールから目を離さないで。

ジャマールはすぐにつぎはだれが、どこにリンゴを投げるかを一生懸命見るようになった。

リンゴを少しずつ高く、遠くの者に投げるにつれ、ジャマールの飛ぶ距離も少しずつ高くなっていく。

ジャマールは懸命にはばたいて、リンゴを追いかける。

本当に夢のような光景だった。

サセックスの青い夏の空の下をリンゴが飛び交い、ドラゴンが……ま、確かにまだ優雅とはいえないけれど、飛びまわるなんて！

ぼくとベアトリスはそれほど上手ではなかったが、投げられたリンゴを受けそこなっても、ジャマールが取って食べてしまうのだから、問題はなかった。

ぼくもビリーもダーシーも、そしてベアトリスも、手押し車いっぱいのリンゴがなくなるまで、懸命にこのキャッチボールを続けた。

おしまいにジャマールは、少しは空中で滑空するようになった。

ちょっと、ヨタヨタするけれど。

最後のリンゴを投げようとしたとき、木のてっぺんでいきなりぼくはジャマールと顔を突きあわせ、驚きのあまり、木からころげ落ちるところだった。

だって、目の前1メートルのところに、ドラゴンの顔があったんだよ。

だれだって、驚くでしょう！

ジャマールはとうとう、投げられる前に取りにいくことを思いつき、なんと空中で羽ばたきながら止まることができるようになったのだ！

そうしてぼくが放ったリンゴを口を開けてパクっとくわえ、得意そうな顔をして地面まで滑空した。

「ようし、今日はここまででいいだろう」

と、ドレイク博士がいったので、ぼくたちは木から降りた。

ベアトリスは、興奮して顔を赤くしていた。

ジャマールも、とてもうれしそうだった。

自分の翼を誇らしげにゆらせている。

「あと2か月もすれば、ジャマールはもっとちゃんと飛べるようになるよ！　さあ、今日はもう家に帰ることにしよう」

＊

ところが……。

みんなで幸福な気持ちで家へ帰りつくと、玄関のドアが大きく開いていた……。

あわてて中に入ると、応接室の本や書類は本棚からすべて落とされ、インク壺まで床に落とされて、絨毯と書類がインクに染まっている！

応接室はメチャメチャだった。

全員、呆然としてあたりを見回した。

ぼくはこういう目にあうのは初めてだったので、実際に殴られたりするのと同じように、人間の悪意が人を傷つけるのだ、ということを初めて知った。

本当に、この前ドレイク博士の店の前で不良たちにからまれたときより、ぼくのショックはずっと大きかった、と思う。

たとえ何か欲しいものがあったとしても、こんなふうに荒らす必要なんか、ない。

そこには、ぼくたちに対する悪意がまだ漂っているのが感じられたんだ。

机の上にあったものを何もかも床に払い落として、何もなくなった机の上に、1通の手紙が置いてあった。

アーネストへ

私のものを返してもらった。我が家の家宝のありかが記してあるものならば、それは私のもの、といってもいいだろうからな。

ところで、もうすぐおまえのところにアルジャーノンがクック家の子どもたちを連れもどしにくるだろう。アルジャーノンには、警官を2名ほど連れていくようにと、勧めておいた。

納屋に閉じこめられていたあの哀れな動物も、おまえのお陰で完治したようだ。

一応、礼をいっておこう。

イグネイシャス・クルック

追伸：セント・ギルバートの角は正当な所有者（というのは私のことだが）の手元にある。安心してくれたまえ。

「あきれた人ね。人の家にしのびこんでおいて、こんな手紙を残すなんて。でも、『私のもの』って何かしら？」

とベアトリスがいった。

「この手紙を警察に見せてはいけないんですか？」と、ぼくは聞いた。

「とんでもない。私がスコーチャーについて警察官に説明しているところを想像してみたまえ……」

そのとき急にドレイク博士は顔をこわばらせて、窓の外に目をやった。

ぼくも、博士と同時に叫んだ。

「スコーチャー!!」

第16章　ドラゴン学の記録帳

ドラゴン学の記録帳は、ドラゴン学者にとって、最も貴重なものである。

厳重に保管し、みだりに情報がもれないようにしなければならない。

１８４９年８月　ドレイク博士の日記より

ぼくたちは一斉に叫びながら、ドレイク博士を先頭に納屋へ走った。

やっぱり、木箱ごと、スコーチャーはいなくなっていた。

「しまった……。やられた……」ドレイク博士はつぶやいた。

ぼくたちがしおしおと家へもどると、玄関のドアマットの上に手紙が置かれているのに気が付いた。

手紙を読んだドレイク博士は、力なく笑った。

「やれやれ。きみたちのアルジャーノン叔父さんが、明日にでもきみたちを迎えに、ここに来るそうだ。しかも、私がきみたちを手放さない場合は、警察を呼ぶと。さっきの手紙がいっていたのはこのことだな」

「そんな！　よりによって、こんなときに！」

「でも、イグネイシャスは、何で私たちにまでちょっかいを出すの？」

と、これはベアトリス。

「7年前にエベニーザー・クルックが亡くなる前、宝物を預けられる信頼できる人がいないからと、彼が宝物をドラゴンたちに返したことは話したろう？」

ぼくたちはうなずいた。

「エベニーザーの葬式の1週間ほどあとに私は家を空けた。その留守中、きみたちのお父さんがイグネイシャスが私の部屋にいるところを捕まえたんだよ。お父さんの話では、イグネイシャスは合鍵で私の家に入りこみ、私のドラゴン記録帳を必死に書き写していたそうだ。イグネイシャスはお父さんに、自分がドラゴン・マスターになるのを手伝ってくれれば十分な謝礼をするといったそうだが、お父さんはもちろん断った。イグネイシャスは恥をかかされたといって、それからずっとお父さんを恨んでいるんだよ」

「あきれた！　それって、完全に逆恨みじゃないの！　だって、人の家に不法侵入したのは自分なんでしょ？　それも7年も前に！　なんて執念深いのかしら」

とベアトリスがいったとき、博士はハッとした顔をして

「私の記録帳！」と、叫んだ。

みんな、いっせいに博士の書斎に駆けこんだ。書斎もめちゃくちゃになっていた。

棚から落とされている本や書類やノートを集めて整理し、入れなおすと

「何か盗られたものはありますか？」とベアトリスが聞いた。

ドレイク博士は、呆然とした声でいった。

「やっぱり、あの記録帳がない……」

ドラゴン学をまとめようとして、いままでの記録を整理し、きれいに清書していた記録帳が1冊なくなっている、と博士はいった。

そのとき、トレイにカップと紅茶ポットを乗せて、アリシアが現れた。

「みんな、ひとまずお茶でも1杯飲んで、落ち着きましょう。そうしたら、いい知恵も出るかもしれないわ」

気が利くなあ！　ぼくなんか、そんなこと、絶対に思いつかないよ！

荒らされた部屋でもどうにか座る場所を作り、熱いお茶を1杯飲むと、びっくりするほどぼくたちは落ち着いた……というより、博士でさえも、いままで気が動転していたのだということがわかった。

「まったく！」と、ベアトリスがいった。

「なんでまたいまごろ、記録帳を盗む気になったのかしら?」

「彼の考えてることはさっぱりわからないけど……」と、エメリーがいった。

「ほかのことをいろいろ試してみて、行きづまったのかもしれないよ。盗みをするなんて、最後の手段だろ?」

「もしかしたら……」とアリシアもいった。

「スコーチャーを取りに来るついでだったのかもしれないわね」

スコーチャー……。

スコーチャーのことを考えて、ぼくたちがしゅんとすると
「いや、いくらイグネイシャスでも、スコーチャーを傷つけるような真似はしないだろうから、その点は大丈夫だよ」と、博士がなぐさめてくれた。

「スコーチャーに何かあったら、イグネイシャスの命はないからね」

「なぜですか?」と、ぼくが聞くと

「スコーチャーのお母さんは、実はセント・ギルバートの角を守っていたドラゴンで、スクラマサックスというんだ。もし少しでもスコーチャーを傷つけたら、スクラマサックスに容赦なく殺されてしまうことくらい、イグネイシャスだってわかっているだろうからね」

「でも、博士の記録帳を盗んでいくなんて……。その中にドラゴン・アイを探すヒントか何か書いてあったんですか？」

いままでめずらしく無口になっていたビリーがいった。

「ヒント、というか、エベニーザーが残した手紙をはさんであったんだ……」

「どんなことが書かれていたんですか？」ぼくは、興味津々で聞いた。

「たいしたことは書かれていなかったよ。あんまり短いので暗記してしまったくらいだ」

親愛なるアーネスト
もう私に残された時間は少ないので、率直に簡潔に書かなければならない。
私は何もわかっていなかった。すまない。許してくれ。
私の知るドラゴン・アイの秘密は、墓場まで持っていくこととする……。

エベニーザー・クルック

「ということは」と、ベアトリスがいった。

「私たちはエベニーザーのお墓まで行かなきゃいけないってことね」

ぼくたちは口をそろえて聞いた。

「お墓って、どこにあるんですか?」

「コーンウォールのボドミンに――」

第17章　ウミヘビ

ウミヘビは〝海のドラゴン〟とも呼ばれるが、骨格や進化の過程などを見てみると、両者はまったく異なる生き物である。

１８５０年２月　ドレイク博士の日記より

そのあと、買いものから帰ってきたガメイさんが、私が留守にしなければと嘆く一幕があったが、博士が、いやいや、いなくてさいわいだった！　いたらひどい目にあわされていたかもしれないんですからね、とガメイさんをなぐさめた。

ようやくだいたいの片付けをすませて、夕飯にみんなが台所に集まると、ドレイク博士は、非常に真剣な表情でみんなに状況の説明をした。

「S・A・S・D・は、いま、とても危険な状態だ」

ドレイク博士は、額の汗をぬぐって続けた。

「ビリーとアリシアは明日の朝、ガメイさんと一緒にきみたちのお父さんのところに行ってくれ。チディングフォールド男爵への手紙をきみたちに託すよ。男爵に直接渡してほしい。エメリー、きみはダーシーとここでジャマールの世話を頼む。ダニエルとベアトリスはここにいると危険だから、私と一緒に来るほうがいいだろう」

ぼくたちは、顔を見あわせた。

もう暗くなっているにもかかわらず、ドレイク博士はすぐに出発するといった。ホーシャムで1泊し、始発列車でポーツマスへ行き、船でコーンウォールへ入り、さらにボドミンまでの長旅だ。

ベアトリスとぼくはてきぱきと荷物をまとめ、出発の準備をした。

「いいよな。ラッキーなやつらは……」ビリーがいった。

「これがどうしてラッキーなの？」

ベアトリスは信じられない！　といった顔をしていった。

「私たちはここから逃げなきゃいけないのよ！　それも、全部、あなたのお父さんとティブスさんがイグネイシャスなんかを信用したからじゃないの！」

「私たちが父に、何が起きたか、ちゃんと話すわ」

小さい声だったが、アリシアがきっぱりといった。

馬車が来た。

「Q·T·B·を忘れないで！　男の子よりも素早い女の子に栄光あれ！」

ベアトリスが馬車の窓からアリシアに叫ぶと、ビリーは、また、おもしろくなさそうな顔をして、ふん、といった。

ホーシャムで1泊したつぎの日の朝、ドレイク博士はぼくたちに、ポーツマス行きの列車の切符をくれた。

「なぜボドミンまでまっすぐ列車で行かないんですか?」

ぼくは不思議に思って聞いた。

「ボドミンに行く前に、ドラゴンの粉を手に入れておきたいんだ。イグネイシャスの手紙に、セント・ギルバートの角を持っている、とあったろう。あれはドラゴンの粉もないと役には立たない。粉は素晴らしく強力な番人が見張っているから安心していたんだがね。でも、こういう事態になったのなら、こちらが手に入れておいたほうがいいような気がするんだ」

そうして、S・A・S・D・はポーツマスに「ヒドラ号」という、ヨットよりは少し大きめの小型帆船を持っていて、ときどき科学的調査に使うのだ、と教えてくれた。ただ、ポーツマスで船を管理してくれているラバーさんは、ドラゴンについては何も知らないので、ぼくたちの旅の目的は秘密にするように、ともいった。

ポーツマス港に到着すると、ドレイク博士はラバーさんを呼び出した。

「いったいどういうこって……」

ラバーさんという男の人は、あわてふためいてやってきた。

なんでも昨夜、ドレイク博士のサインのある書類を持った男がやってきて、急いでヒドラ号に乗っていってしまったらしい。

非常に美しいが、あまり感じのよくない女性も一緒だった、といった。

「あの男は、博士のお身内の方ではないんで？」

ラバーさんは、まずいことをしたと思ったらしく、青くなって聞いた。

「うーん」ドレイク博士は困った顔つきになった。

「いえ、ラバーさん。私のサインがあったのでしたら、あなたの落ち度ではありませんよ。そんなにお気になさらずに。しかし、困ったな。ほかにいますぐ使える船やヨットはありませんか？」

「ないこともないですが、お気に召すとは……。ウミヘビ号という名の船でして…」

「かまいません。私も、かなり急いでいるものでね」

ということで、ぼくたちは急いで港へ行った。

そこには、小型の快速船やら、ヨット、定期船、貨物船、漁船など、いろいろな船が停泊していたが、ウミヘビ号はかんたんに見つかった。

ウミヘビ号は、1本マストで前方にも三角帆を張った、そこにあった船の中では一番はやそうに見える小型帆船だったが、汚いことでもとびぬけていたからだ。

帆も船体も薄汚れ、長いことちゃんと掃除してないように見えた。

ヘゼキアと名乗った船長も船そっくりで薄汚れ、ずるがしこそうな目をして、全然信用できそうもない男だった。

乗組員たちも、あまりまともそうには見えなかった。

ドレイク博士が、観光のために船を借りたいと申し出ると
「へっ？　ウミヘビ号でコーンウォール観光ですかい？」

とヘゼキア船長は鼻で笑った。

「こいつで楽しい船旅がしたいといわれてもねえ。こいつは船室をほとんど貨物用に改造しちまったからね。居心地のいい客室なんてもんはありませんぜ。でも、これだけ払ってくれるのなら、乗せてやってもようがすよ」

船長は、ドレイク博士に紙きれに数字を書いて見せた。

ドレイク博士は眉をつり上げたが、肩をすくめていった。

「この女性のために、まともな部屋を最低一つ用意できるというのなら、お払いしましょう。ラバーさん、お願いします」

ラバーさんは、お金とぼくたちの荷物を取りに、急いで事務所にもどった。

「きみたちにはぜひとも一度、ヒドラ号に乗ってもらいたかったが、仕方がない。まあ、船旅は2日間だけだからね、我慢してくれたまえ」

そうして、ぼくたちは船に乗りこんだ。ヘゼキア船長はしぶしぶ自分の船室をべアトリスにゆずり、ドレイク博士とぼくにはハンモックが用意された。

出港はつぎの日の朝ということになった。

翌朝、ベアトリスは港を出る前から、顔色が悪くなり、ポーツマス湾から出た頃には、船室に入ったまま、まったく出てこなくなってしまった。

一方、ぼくは船に乗ったのは初めてだったが、船酔いにもならず、うきうきして、船内がどれだけ汚かろうが、全然気にならずにあちこち見て歩いた。そして、甲板の上で風に吹かれながら、ドレイク博士が説明してくれる、いろいろな鳥や海岸沿いの岬や灯台の名前を覚えた。

1日走って、夕方になる前に、船は小さな入り江に錨を降ろして止まった。

夕飯のあと（ベアトリスは出てこなかったが）、ぼくがそろそろハンモックで寝ようとしていると、ドレイク博士がぼくを引きよせ、小声でいった。

「さあ、仕事だ。右舷船首のところで、夜中の12時に落ちあおう。ベアトリスにも見せたかったが、残念ながら、船酔いがひどいらしい……。見張りは一人しかいないが、乗組員には私たちが何をしているか、絶対に勘付かれてはいけないよ」

「でも、イグネイシャスに先を越されていない？」

「いや、そんなことはありえない。私は記録帳に粉のありかは書かなかったし、もしありかを突きとめ、粉の番人が黙っていないだろうからね」

真夜中の12時10分前、ぼくはいわれた場所で、ドレイク博士を待った。

空気がとても澄んでいて、気持ちのいい夜だった。

入り江の突きあたりの崖の上に家の灯りが一つ、左舷遠くには灯台の光が見える。

だれかに見られていないかまわりを確認しながら、ドレイク博士がやってきた。

「この船はいまプリマスを過ぎて、セント・オーステルという町の近くに来ている。あまり知られていないけれど、イギリスを占領しようとしていたスペインの無敵艦隊が敗れたのは、フランシスコ・ドレイク提督の放った焼き打ち船と、悪天候のせいだけではなかったのだよ。見ていてごらん」

ドレイク博士はポケットから小さな紙包みを取り出して見せた。

「この粉は、合図なんだ。しかし、イグネイシャスはこれを知らなかったらしい。私の部屋から持っていかなかったからね。だから、イグネイシャスが先を越すなんてことはありえないんだよ。これはめずらしいものだが、魔術的なものでも何でもない。クジラとヒョウアザラシの骨の粉と、それにダイオウイカの足を乾かしたものの粉を混ぜてあるんだ。これからお出まし願う御仁は、匂いにはとても敏感でね」

ドレイク博士は謎めいたことをいいながら、手すりに寄りかかり、その粉を海面にまいて、こうつぶやいた。

ヘビよ、深き海のヘビよ
我のもとへ来たれ

すぐには何も起こらなかった。

しかし、しばらくすると、遠くの海面がかすかにゆれ始めた。

初めはただの渦が月の明かりで照らされているだけのように見えた。

ところが、その渦がどんどん大きくなっていく。

何かが海の中から渦をつくっているのだ！　とぼくが気がついた瞬間、その渦の中から、てっぺんに角のある奇怪な灰色の頭が、すうっと、音もなく出てきて、ドレイク博士をじっと見つめた。

巨大なウミヘビだ！

ドレイク博士が何かをささやいたが、ぼくには一言もわからない言葉だった。

そのヘビは、いったん波の中に消えたかと思うと、すぐにうかび上がってきた。

今度は、口に小さな箱をくわえていて、ドレイク博士にその小箱を渡した。

「これが」ドレイク博士は、ぼくに小箱を見せながらいった。

「ドラゴンの粉だよ。このウミヘビと私は、ずいぶん昔からの付きあいなんだ。エベニーザーがこいつにドラゴンの粉を託すと決めたとき、私もそこにいたんだよ」

「英語は話せるの？」

「いや、あまり。しかし、ドラゴン語は理解できるよ。きみも早くドラゴン語を覚えるんだな」

　そのウミヘビは巨大な頭をもたげて、ぼくのほうをじっと見つめた。

　ぼくはその目が、素晴らしく知的なのに気がついた。

　そのとき、突然ぼくたちは後ろから、ランタンの明かりで照らされた。

「船長！　大変だ！　やつらは、海の化け物を呼んでますぜ！　魔法使いだ！　怪物と話をしてる！　怪物の仲間だ！」

　振り向くと、ぞくぞくと、乗組員が集まってくる！

　しかも手に手に、ナイフや銃を持って――。

「おやおや」と、ドレイク博士がいって、肩をすくめた。

そのときベアトリスをひっつかんで、ヘゼキア船長がやってきた。

当然だけど、ベアトリスはかんかんに怒っていた。

でも、ちゃんと服も着ているし、靴もはいている。

さかんに船長をけっとばしているが、さすがに、船長はびくともしなかった。

「なんてこった！　海の怪物を呼びよせるなんて！　これは船乗りのあいだでは、とても不吉なことなんだぞ」

ヘゼキア船長は乗組員のほうを向いて、続けていった。

「どうも怪しいと思っていたが、やっぱりだ。見張りをつけといた甲斐があったな。てっきり、俺たちの密輸を調べにきた役人かと思ったが、役人が子連れ、というのも変だからな！　何かあるとは思っていたが、こいつは最悪だ！　こいつらは、悪魔だ！　魔法使いだぜ！」

そういうと、船長はベアトリスをぼくたちのほうへ投げつけてよこした。

ドレイク博士がベアトリスを受け止めた。

「野郎ども！　こいつらが怪物を呼びやがったんだから、おれたちも昔からのしきたりでこたえようぜ！　とっとと錨をあげろ！　帆を張れ！　こいつらには板の上を歩かせろ！　そしたら酒盛りだ！　その箱はいただくぞ。何が入っているのかは知らんが、何かの役に立つだろう」

船長は銃を突きつけると小箱をドレイク博士から奪って、船室に持っていった。

あっという間に錨が上げられ、帆が張られ、船の下で水がうねり、命をふき返したかのように船が動き出した。

こんな事態じゃなきゃ、楽しいのに！

そのあいだに板が前甲板の手すりに結びつけられ、ぼくたちはナイフと銃を突きつけられて、その上を海に向かって歩かされた。

ぼくは、板の先端まで行き、下に広がる海を見た。

波の下に、さっきのウミヘビの目が見えたような気がした。

振り返ると、男たちがナイフや銃を手にして大騒ぎしている。

そのとき……

ドボン！　という音が聞こえた。

ドレイク博士が飛びこんだのだ。

ベアトリスもぼくも、同時に海に飛びこんだ。

できるだけ水をかいて船から離れるようにして、水面にうかび上がって船を見ると、甲板にもどってきたヘゼキア船長が大声でわめいている。

「この大まぬけめ！　おまえら、馬鹿か！　板を歩かせるときは腕を縛ってからやるもんだ！　泳いで逃げちまうじゃないか！　銛を持ってこい！」

第18章　ブッカホール

あわれな鉱山労働者にとって、人知れぬ洞窟や深い鉱坑にすむ、
恐ろしいブッカのたたく音以上にこわいものがあるだろうか？
１８５０年２月　ドレイク博士の日記より

ベアトリスとぼくはかなり泳げるので（去年のホテルのプールが役に立った）泳ぐだけなら、浜までの距離くらいはどうってことなかっただろう。

ところが、乗組員たちはぼくたちをねらって、てんでに銛や銃を撃ってきた。

すると、そのとき！

さっきのウミヘビが、いきなり水中から船の前に現れたのだ！

つぎの瞬間、おびえた乗組員が叫び声をあげて撃った銛の1本が、ウミヘビに突き刺さった。

ウミヘビは甲高い叫び声を上げ、体をくねらせて、全身で、船にドシン！　と体当たりした。

船はひどくかしぎ、みんなが叫んだ。

それからウミヘビはしっぽでぼくを海面から持ち上げると、空中を、弧を描くように砂浜まで運んだ。

ベアトリスも同じように、ぼくの隣に運ばれてきた。

ドレイク博士も、一度は水面から姿が見えなくなったが、つぎの瞬間、ゼイゼイむせながら海岸に運ばれてきた。

ウミヘビは、今度は船のほうに向いた。

ウミヘビ号はあわてて逃げようとして、舵を切った。

だが、あまりにも急に方向転換しようとしたため、船は舵を切ったまま、ゆっくりと横倒しになり、そのまま波間に沈んでいってしまった。

「ふむ、やっかいなことになったな」と、ドレイク博士がいった。

ぼくたちは崖下の海岸にびしょぬれで立っていた。

「少なくとも一つだけはいいことがあるわ」と、ベアトリスがいった。

「何？」

「もう船酔いしなくてよくなったこと！　だって、船に乗っていないんだもの」

実際、ベアトリスの顔色は、目に見えてよくなっていた。

「あんまり船酔いがひどいから着替えもできず寝てたんだけど、それがさいわいしたわね。ネグリジェだったら悲惨なことになってたわ」

元気になったベアトリスはドレイク博士に聞いた。

「ここはもうコーンウォールなんですか？」

「そうだよ。まずはあの崖の上まで行ってどこか宿を見つけよう。とにかくぬれた服を脱いで、温かいものをお腹に入れないと風邪をひく。だが、ドラゴンの粉をなくしてしまったなあ」

そのとき、ウミヘビがふたたび海の上に現れた。

そして、くわえてきた小箱をそっと岩の上に置くと、音もなく消えていった。

ドレイク博士はにっこりほほえみ、小箱を拾い上げていった。

「少しは、いい方向に進んでいるのかもしれないね」

ぼくたちは、曲がりくねった石ころだらけの細い道を崖の上へとのぼっていった。

もう、夜明けも近かった。

坂道をのぼったせいで、少しは体も温まって気分が落ち着いた。

「もう危険はないんですか?」ぼくが聞いた。

「イグネイシャスがいまどこにいるのかによるね。もしこの近くにいて、さっきの大騒ぎを目撃していたとしたらことだが——」

「いまのところは、安全よね？」ベアトリスが不安そうに聞いた。

そのとき、夜明けの薄明かりの中で、小さな青いドラゴンが、岩の後ろのほうからぼくたちの頭上に飛んできて、ふたたびもどっていくのを、ぼくは確かに見た。

キラキラと輝く鋭い目が、ぼくたちを意地悪そうに見ていた。

「残念ながらそうでもなさそうだ」

ドレイク博士がそういって、ため息をついたとたん、突然岩の陰から、こん棒を持った大男が現れ、ぼくたちの行く手をふさいだ。

そして同じようにこん棒を手にしたもう一人の男が、後ろにも現れた。

そして、とうとう、あの男が静かに現れ、ぼくたちにほほえみかけた。

そう、ドレイク博士の店の反対側にある、パブの入口にいた男だ。

その男の肩には目つきの悪い、猫くらいの大きさのドラゴンがオウムのようにとまり、ぼくたちをにらんでいた。

「これはこれは、親愛なるドレイク博士。たいへん奇遇ですな」

その男は皮肉っぽくいい、ドレイク博士から、ドラゴンの粉の小箱を奪い取った。

「何かほかにおもしろそうなものを持ってないか、見てみろ！」

男の一人がドレイク博士の上衣のポケットを、さぐりはじめた。

ポケットに入っていたのは、壊れた腕時計、鉛筆、コンパス、小銭だけだった。

ぼくたちは縛られ、崖の上の小道をえんえんと歩かされた。気がつくと、古い塔や廃墟、そして、いくつもの穴がある場所に連れてこられていた。

そういえば、前に百科事典で、コーンウォールではスズがとれた、と読んだ覚えがある。ということは、きっとここはスズ鉱山の跡に違いない。

一つの穴の上に、ロープが垂れ下がったままの、さびついたクレーンがあった。

「おれだったらこいつらをちゃんと始末してから、投げこむがな」

男の一人がいった。

「私は、お前らに質問をさせるために金を払っているわけじゃない。黙って私のいうとおりにしろ！」

イグネイシャスが男たちに怒鳴った。

「まあ、あんたがボスだ。何かがあの穴の中にいるらしいが、何がいるにしても、おれたちがだれか、そいつらにばれたくはねえな」

もう一人の男がいった。

「ああ、そのとおりだ。よく聞け！」

イグネイシャスは小石を拾って穴の中に投げこんだ。

しばらくすると、中からくぐもった音が聞こえてきた。

それは何かはわからないが、動物のうめき声とハンマーでドンドンとたたく音との中間のような音だった。

「ブッカがたたいている音が聞こえるかね？」

イグネイシャスが、意地悪く笑いながら、いった。

「ブッカって、何なの？」と、ベアトリスが聞いた。

「ドラゴンの一種だよ、お嬢さん。あまり気のやさしいタイプのドラゴンではないぞ。このフリッツのようにな」

イグネイシャスは、肩のドラゴンをなでながらいった。

そいつはなでられて、満足そうにグルグルのどを鳴らした。

「大きな翼と爪、鋭い歯、恐ろしい炎。ブッカはスズ鉱山の穴にすんでいるんだ。まあ、これ以上はいわないでおこう。楽しみが減ってしまうからな。いわなくてもきみたちは、もうすぐ会えることだし」

「なんでこういうことをするんですか？　ぼくたち、あなたに何も悪いことをしてないじゃないですか」

「確かに――。だが、生きていれば必ずいずれはやるだろう？」

それもそうだ、とぼくはつい思ってしまった。

少なくともぼくたちは、ドラゴン・アイがイグネイシャスの手に渡らないように、阻止するだろうから――。

イグネイシャスが合図をすると、男の一人がぼくたちを縛っていたロープを、クレーンのロープに結びつけ、ウインチでぼくたちを引っぱり上げた。

「痛い！」と、ベアトリスが叫ぶ。

「助けて！」と、ぼくも叫んだ。

ぼくらは、大きな穴の上につり下げられた。

ゆっくりと穴の中に降ろされて、真上に空とロープしか見えなくなったとき、大きなナイフが現れて、ロープをさっと切った。

ぼくたちはブッカホールの中に真っ逆さまに落ちた。

ずいぶんと落ちた、と思ったのに、本当はそれほどでもなかったらしい。

なぜかというと、どこの骨も折れなかったから――。

といっても、ぼくがけがをしなかったのは、ドレイク博士の真上に落ちたからかもしれない。

ぼくたちはしばらく、体の痛みにうめいていた。

「大丈夫？」しばらくするとベアトリスの声がしたので、ぼくはほっとした。

「うーん、ああー、大丈夫……だと思うよ」

ドレイク博士の途切れ途切れの声がした。

博士は一番下になったので、全身をかなり強く打ったようだった。

「ブッカって、どこにいるの？」ぼくはふるえる声で聞いた。

「シーッ！」ドレイク博士がささやき声でいった。

「大きな声でしゃべらないように！　上にいるイグネイシャスには、私たちが食べられたと思っていてもらいたいからね。まったくイグネイシャスときたら！　本当に勉強不足だ！　ブッカのことを全然知らないんだからね」

そのとき、ぼくは、その洞穴の中に、ほかの犠牲者の残骸がたくさん散らばっているようすを想像していた。いまとなってはなつかしい、ナッカーの巣のまわりに、ウサギの骨や毛がたくさん散らばっていたように。

ところが、暗闇の中にぼんやり見えたのは、ぼうっとかすかに光る鉱石と、山ほどの魚の骨だけだった。

ベアトリスは、そのあいだにせっせと自分の縄をほどきにかかっていた。

「ほんとに間抜けなんだから！　縛り方もちゃんと知らないのよ！」

といったところをみると、ベアトリスのはゆるかったらしい。

もっとも、すぐにブッカのエサになる、と思っていたからかもしれないが。

自由になったベアトリスが、ぼくたちのロープもほどいてくれたので、ぼくたちはようやく起き上がることができた。

　ぼくたちはしばらくそこに座りこんで一息ついた。

「どういうこと？」ベアトリスが小さな声で聞いた。

「イグネイシャスは、恐ろしい人食いブッカがこの穴にすんでいる、という伝説を信じているようだからね。彼はドラゴンに関する伝説と、本物のドラゴン学の記録との区別もできていないんだ。私の記録帳もちゃんと読めていないようだよ」

「じゃあ、ブッカは本当はいないの？」

「いや、もちろんブッカはいるよ。ただ、そこまで危険ではないということだよ。ブッカというドラゴンはすごく臆病なんだ。もしこの穴に、本当にブッカがいたとしたら、私たちを食べるどころか、いま頃はとっくに逃げ出しているよ」

　ぼくはちょっと安心して、穴の中をじっくりと見まわした。

　その頃には目が暗さに慣れてきて、地面が魚の骨でおおわれているのがわかってきた。そして、くっきりとしたブッカの足跡が続いているのを見つけた。

「ここを見て！」と、ベアトリスが足跡を指してささやいた。

「よろしい。たどってみよう」

どうやらブッカは人間が作った昔のスズ鉱山の坑道を利用しているらしく、穴は平らなわけではないが、ひどく歩きにくいわけでもなかった。

途中何度か、3人の中では一番背の低いぼくがギリギリ立って歩けるくらいに天井の低いところもあって、ブッカがいつもこの道を使っているのなら、そいつはそんなに大きくないのだろう、とぼくは思った。

やがて、道が二つに分かれているところへ来た。

「耳を澄ませてごらん」

とドレイク博士がいうので、岩壁に耳を押しつけてみると、片方の道からかすかにドンドンいう音が聞こえてきた。

「それがブッカの音だよ」と、ドレイク博士がいうので、ぼくが音がしないほうに行こうとすると

「ブッカのほうへ行くんだ」

といわれ、ぼくたちは音のするほうに進んだ。

すると、だんだん天井が高くなり、明るくなってきた。

いままではだいたいくだり坂だったのに、今度はのぼり坂になっている。

ドンドンという音が近づいてきた。

そして角を曲がったとたん、突然、目の前にそれが現れた。ブッカだ！

ぼくは息が止まるかと思ったくらい驚いた。

ブッカのほうも、きもをつぶしたように見えた。

この穴に人間が現れるなんて、めったにないことに違いない。

ぼくが考えたように、そのブッカは、ぼくよりも小さいくらいだった。

ジャマールよりは、ウィーゼルのほうに似ている。というより、ウィーゼルが立ち上がったら、こんな感じだろうと思った。

ブッカはぼくたちをひと目見ると、逃げようとして、あわてて頭の上の骨っぽい突起で近くの壁をたたき始めた。

ドンドンいう音はこの音だったんだ。

そうして、あっというまにその壁には穴があいて、ブッカは砂や土の雨を降らせて消え去った。

そうか、ブッカはこうやって、人間の作った坑道を自分の都合のいいように作り変えて暮らしているのか!

「ふむ、こういってはなんだが、きみたちは本当にラッキーだよ。こんなに近くでブッカを見られる者はそういない。家に帰ったら、ちゃんと記録するんだよ。さあ、脱出しようじゃないか。せっかくブッカが出口を作ってくれたんだ」

ぼくたちが砂まみれになりながら穴からはい出すと、そこは小さな浜辺のある、ウミヘビがぼくたちを運んでくれたのとは別の入り江だった。

「やっぱり」と、ドレイク博士はいった。

「さっきのところに魚の骨がたくさん散らばっていたから、ブッカはどこかで魚をとってるはずだと思ったんだ。魚を運んできて食べてるのだから、それほど遠いはずはないし。だから、ブッカのいるほうにいけば、外に出られるのではないかと思ってね」

ぼくたちはようやく外に出て、体の砂をはたいて、思いっきりのびをした。

3人とも海水でびしょぬれになったあげく、岩の中をすりぬけてきたので、髪はバサバサ、手足も傷だらけ、そこらじゅう砂だらけで服もぼろぼろになっていた。

ベアトリスは、静かな水に映った自分の姿を見て、叫び声をあげてなんとか見られる格好になろうと無駄な努力を始めた。

「できるだけはやくボドミンに行かなければならないが……」と、博士はいった。

「今日はここで宿を見つけよう。お風呂に入って傷をきれいにして、ちゃんとしたものを食べて、ゆっくり休まないとね。そうしたら、明日の朝一番のバスで、ボドミンへ行こう」

第19章　ボドミンへ

伝説は伝説にすぎないことも多いが、
真実を含む場合もある。

１８５１年５月　ドレイク博士の日記より

ボドミンの街は、コーンウォールの聖人である、セント・ペトロックによって築かれた。セント・ペトロックは、パドストウ（旧名ペトロック・ストウ）も築き上げた人で、この国の最初のドラゴン学者の一人でもあった。セント・ペトロックが目を悪くしたドラゴンをやさしく世話したという伝説があり、近代まで、セント・ペトロック教会の井戸の水には、目の病気を治す力があるとされていた。

当然ながら、治療効果のあるセント・ペトロックの聖杯は「S·A·S·D·の12の宝」のうちの一つとなっている……。

「……って書いてあったわ」

ベアトリスがバスの中で、自分の記録帳を読み上げた。

「えええっ？　いつの間に調べたの？」と、ぼくが驚くと

「アリシアと、何日か前に、12の宝について書いてあるものを、洗いざらい調べたのよ」

と、ベアトリスは答えた。

女の子って……素早い……。

ボドミンの町でバスを降りると、ドレイク博士は角の花屋で花束を買った。

「墓参りに見せかけるんじゃなくて、本当に墓参りに行くんだ。ずっと気になって

はいたんだが、遠くてね。ジャマールがいると長くは留守にできないし……。こんなかたちだが、やっと来られてうれしいよ。きみたち二人も敬意を表したほうがいいだろう？　なにせ前ドラゴン・マスターなんだからね。ただ、イグネイシャスにばったり会わないように、用心しないと！」

「えっ、イグネイシャスがこの町に来るんですか？」ぼくはびっくりして聞いた。

「ここは彼の育った町だよ。エベニーザーが住んでいたんだから。それにいくらなんでも私の記録帳にはさんであったエベニーザの手紙を読んで、父親の墓にヒントがあることに気がつかないほど、間抜けだとは思えないからね」

「そのお墓は、どこにあるの？」

「セント・ペトロック教会の墓地に」と、博士。

「いま、私たちはそこに向かっているところさ」

　ぼくたちはあたりに気を配って、用心しながら教会に着いたが、拍子抜けするほど、だれにも会わなかった。

教会の墓地には、一人の男が墓掃除をしているほかは、だれもいなかった。

ぼくたちはエベニーザー・クルックの墓を探し回った。

ところが、2往復しても、エベニーザーの名前を刻んだ墓石が見当たらない。

ベアトリスとぼくはさっきの男のところへ行って、エベニーザー・クルック氏の墓を知らないかたずねてみた。

男は作業している手を止めて、じっとこちらを見た。

「どちらさんで？　あんた方は、親戚かね？」

「私たちの両親がクルックさんの友人だったんです」

と、花束を持ったベアトリスが答えた。

「なので、この近くまで行くといったら、お墓に行ってきて欲しいと頼まれて」

そして、ドレイク博士を手招きし、私たちの先生です、と紹介した。

「どうもこうも、ひでえ話さ」

と、男は手を止めて立ち上がり、腰をのばした。

「エベニーザー・クルックはこの町ではたいして好かれちゃあおらんかった。息子のイグネイシャスは、もっとはっきり嫌われとった。夕べめずらしくイグネイシャスがもどってきたと思ったら、いきなりクルック家が火事だ！　それで一晩じゅうみんなおおわらわさ。なのに、肝心のイグネイシャスはどこかに消えちまうし！」

「放火ですか？」とドレイク博士が聞いた。

「まだわからんが、警察が焼け跡を全部ひっくり返しているよ」

と、男はいまいましそうにいった。

「でもって今朝ここに仕事に来てみたら、なんとエベニーザーの墓石までなくなっとるじゃないか！」

「墓石がなくなっている？」

「そうさ。なくなっとる、というか、壊されて、持っていかれたんだな」

「では、どれがエベニーザー・クルック氏の墓ですか?」

「わしが破片を片づけている、ここさね」

「どうもありがとう」ドレイク博士はお礼をいい、さらに何気なさそうに聞いた。

「墓石に彫られていた言葉を、まさか覚えてはいらっしゃらないですよね?」

「残念だが、わしは覚えてないね。なにやらわけのわからん文句だったしな。だが、ここの墓石を彫った石工のパターソンなら知っとるだろう」

そういって、男はぼくたちにパターソンさんの家への行き方を教えてくれた。

エベニーザー・クルックのお墓に持ってきた花を置き、墓地をあとにして歩きながら、ベアトリスがいった。

「墓石をこわしたのはイグネイシャスね?」

「その可能性は高いね」ドレイク博士が答えた。

「それじゃあ、エベニーザーの家の火事については?」今度はぼくが聞いた。

「一つ、心当たりがないこともない」と、博士は、謎のようなことをいった。

「じゃあ、イグネイシャスは生きているのでしょうか?」

「とても、そんなことで彼が死ぬとは思えない。そうだろう?」

ぼくもそう思った。

ぼくたちはパターソンさんの作業場に着いたが、パターソンさんは留守だった。かわりに話し好きな奥さんが、紅茶を出してくれた。

「イグネイシャスのことは、みんなあまり好きじゃなかったわ。頭はよかったけど、すっごくうぬぼれ屋で、どうしてそんなことを思いついたのか知らないけど、自分は特別な、選ばれた人間だと思っていたのよ。それにひねくれ者で意地悪で。私は同じ学校で同じ学年だったからよく知ってるの。今度も、いきなりイグネイシャスが帰ってきたと思ったら、家が火事になって!　おまけに墓石が盗まれて……!

主人が一生懸命彫った石なのに！　いまは町じゅういろんな噂でもちきりよ。ホプキンおばあさんなんて、家が燃える直前に、稲妻のような炎が空から降ってくるのを見た、なんていってるのよ。でもまあ、彼女はいつもいろんなことをいうけど」

「実は、我々が今日ここに来たのは、エベニーザーの墓参りのためでした。そしたらこんな騒ぎになってしまっていて——。彼には、我々以外にも友だちはいます。墓石が盗まれた、というのでしたら、みんなで新しい墓石を作るお金を集めようかと思うのですが……」

「あら、それなら、ここで承りますわ」

パターソンさんの奥さんは、急に笑顔になった。

すると、ドレイク博士はこう続けた。

「しかし、故人の意志でもあるし、せっかくですから、前とそっくり同じに作りたいのですが、どんな墓石だったのか、わかりますか？」

「ええと、あれはかなり前よね。もう5、6年くらいにはなるかしら。でも、主人がどこかにメモを残しているでしょう。普通、そうしていますのでね。ちょっと探してくるので、お茶でも飲んでいてくださいな」

しばらくしてもどってきた奥さんは、1枚の紙をドレイク博士に渡した。

「はい、これがその石のスケッチですよ。まあ、確かに、お墓に刻む文句としては変わってるわね」

ベアトリスとぼくは、博士の肩越しに、その紙を見た。

墓石としてはよくある、たてに長い長方形だった。

どこも変わっていない。

ただし、よく見ると、上下左右のすみには小さくだが、それぞれ、違うドラゴンが刻まれていた。そうして、墓石にはこう彫られていた。

エベニーザー・クルック博士
S・A・S・D・
ボドミン生まれ、１７９９〜１８７５年

弁ぜよ、勇敢に死す私の偉業を
うつし世のあらそいは無駄なこと
意中のものはワイアームに探し求めん
ヴィーナスのほほえむ彼の地に
すべての力と光は眠りおり

「確かに変わってますな」ドレイク博士は紙を奥さんに返しながらいった。

「今回は、もう少し普通なのにしましょう」

博士は空になった紅茶のカップを奥さんに返すと、

「ご主人にまた連絡しますとお伝えください。お茶をどうもご馳走さまでした」

といって、ぼくたちをドアのほうにうながした。

パターソンさんの家から離れるとすぐ、ぼくはドレイク博士にたずねた。

「『ワイアーム』って何のことですか？」

「ああ、ワームのことだよ。あの脚のないヘビのような姿をしたドラゴンのことをそういうだろう。ワームは、古くはワイアームともいったんだ」

ぼくたちは駅で列車を待つあいだ、記録帳のまっ新なページに、さっきの墓石に書かれていた言葉を思い出して書いた。

「ベアトリス」と、ドレイク博士。

「エベニーザーが墓石に秘密を隠したと考えたのは、ベアトリスだったね。この暗号も解読できるかい？」

「あまりかんたんすぎて、本当にこれでいいのか自信がもてないんだけど……」

と、ベアトリスはいった。

かんたん？　えっ？　もうわかったの？

「そうよ」ベアトリスは笑っていった。

「ダニエル、昔スコットランドに連れていってもらったときのことを覚えてる？

あなたが4歳のときよ。インヴァネスの近くのホテルに泊まったでしょ」

「うん」そのことは覚えていた。なぜって、長い列車に乗って、家族でそんな遠くまで旅行をしたのは、あとにも先にもそれ1回きり、だったからだ。

「お父さんがのぼった近くの山を覚えてる？」

「確かベンウィヴィス山っていったと思う。でも、それがどうしたの？」

「ダニエル。この詩の、一番上の文字をつなげて読んでみて」

「弁、う、い、ヴィス」

「ベンウィヴィスか！」

「そう。あまりかんたんすぎて、こんなの暗号にもならないわ」

「そのとおり。この暗号には何かひっかかるものがあるんだ」と、博士。

「えっ、何でですか？」ぼくは聞いた。

「ベンウィヴィスはよく知ってるんだ。スコーチャーの母親のスクラマサックスがすんでいるところだからね。しかし、いまドラゴン・アイはベンウィヴィスにないんだがな」

「イグネイシャスは本当に角とドラゴンの粉を使って、ドラゴンを操れるのでしょうか？」心配そうにベアトリスが聞いた。

「アレクサンドラもいるし、やるだろうね」ドレイク博士が答えた。

「きのうの火事も、もしかすると、角笛で呼び出したドラゴンを手なづけようとして、結局失敗したのかもしれない。それなら、エベニーザーの家が焼かれてしまったことにも説明がつく」

突然、ドレイク博士が上を見た。

「見張られている！」

「どこ？」ベアトリスも上を見た。

「あそこだ！」博士は、道の反対側にある高い木を指した。

それはフリッツだった。フリッツは甲高い声をあげて、とまっていた枝から飛び立つと、駅の向こうへ消えていった。

＊

ぼくたちは、つぎの日の早朝にロンドンに着いた。

ワイバーン・ウェイを歩いていくと、ドレイク博士の店の外に男の人が立っているのが見えた。まるで、店の入口の番をしているようだった。

近くまで行くと、それはエメリーだった。心配そうな顔をしている。

ぼくたちを見ても、エメリーは知らん顔をした。

ドレイク博士はそれを見ると、通りをぐるっとまわって店の裏のドアから中に入り、ぼくたちを、前に見た地下の廊下の部屋に連れていった。

普通の店の地下室にしては、立派すぎる部屋だった。

部屋には出入口のほかにもいくつものドアがあり、床は大理石、真ん中には翼をはためかせて飛ぶ黄金のドラゴン像が置いてあった。

「ようこそ！　神秘といにしえのドラゴン学者協会・ロンドン本部へ！」

「すごい！」ぼくは叫んだ。「ここ、どれだけ古いんですか？」

「協会の本部としては150年になる。上の店は、一般のドラゴンファン用なんだ。

ここにはきみたちに見せたいものがたくさんあるけれど、残念ながらいまはそんなことをやっている場合ではないね。必要なものを取りにきたんだから」

そういって、ドレイク博士はもう一つの部屋へぼくたちを案内した。

その部屋には、たくさんのトランクや箱が置いてあり、棚にはドラゴンのマスクのようなものも並べられていた。

博士が何か捜しはじめたとき、エメリーが入ってきた。

「私の耐炎性マントが見当たらないんだが？」

「すみません、ティブスさんが昨夜、ここに来られたんです」

と、エメリーが情けなさそうに説明した。

「チディングフォールド男爵と一緒に。警察がエベニーザー家の火事のことを大臣に報告したので、いまはすべてが『管理しきれていない状況』だと判断されたようで、ドレイク博士よりもティブスさんにイグネイシャスのあとを追わせたほうがよいと考えられたんですよ」

「ティブスさんに？」ドレイク博士は信じられないといったようすで叫んだ。

「あの人に、どうやってイグネイシャスのあとを追えるというんだ？」

「そうなんです。それでもティブスさんはあの耐炎性マントを欲しがって、ほかにもいろいろと持っていってしまいました。ティブスさんとチディングフォールド男爵は、このままドレイク博士に任せておくと事が悪化するのではないかと心配のようで、博士がもどられたら、すぐにも連絡が欲しいと」

「では、いますぐチディングフォールド男爵に連絡しなければ！」

「それは、おやめになったほうが」と、エメリー。

「アルジャーノン・グリーンが警察に、博士が子どもたちを誘拐したと訴えました。いま連絡をしたら捕まってしまいますよ。みなさんは、できるだけはやくこの店を出て、ロンドンを離れるべきだと思います」

それから30分もたたないうちに、ぼくたちはドレイク博士の店の裏から表へ出て、辻馬車を呼び止めて乗っていた。

途中「ドラゴナリア」に向かうらしい警察の車とすれ違ったので、ぼくたちは床に伏せた。危機一髪！　ってとこだ。

無事にユーストン駅に着いて、広い待合室のすみに荷物を置くと

「ここで待っていなさい、切符を買ってくるから」

といってドレイク博士は行ってしまった。

ぼくたちが荷物の陰に隠れるようにして座ったとたん、驚いたことに駅前に見覚えのある豪華な馬車が止まり、アリシアが降りてくるのが見えたじゃないか！

「アリシア！」

声を殺して呼ぶと、アリシアはぼくたちを見てパッと顔を輝かせた。

手に大きな包みと重そうなランチバスケットを下げている。

「ああ、よかった！　会えないかと思っちゃったわ」

息を切らせてアリシアがやってくると
「いったい、こんなところで何やってるのよ？」

ベアトリスがささやき声でいった。

「Q・T・B・よ！」と、アリシアも小声でいった。

「大変よ。ロンドンじゅうのおまわりさんたちがあなたたちを探してるのよ。ティブスさんが父にそう話しているのが聞こえたので、コックに大急ぎで台所にあるものをバスケットにつめさせて抜け出してきたの。店に行ったんだけど、たったいま出かけたばっかりだって、エメリーがここを教えてくれたの。そうして、私が出たすぐあとに、おまわりさんたちが店に入っていくのが見えたのよ！

さあダニエル、大急ぎでこれを着て！　あなたなら細いから私の服でも入るでしょう。これでも一番ゆったりしたのを選んだのよ。おまわりさんたちが探してるのは女の子と男の子の二人連れだから、女の子二人なら怪しまれなくてすむわ」

そういってアリシアが包みから出してきたのは女の子の服だった！

しかもピンクの！

ベアトリスは声を殺して笑った。

「確かに……。いい考えだわ。私の服は長すぎるから、ダニエルに着せるなんて考えもしなかったわ。ダニエル、さっさと着替えて！」

ドレスは頭からかぶって腰でリボンを締めるタイプだった。そんな無茶な！　というひまもなく、ぼくはシャツを脱がされ、ピンクのドレス姿になっていた。

それに三つ編みのおさげつきの帽子！

「これは私の従姉妹の忘れものなの」

急いでぼくにかぶせながらアリシアはいった。

「忘れてくれてて助かったわ。私は、まだかつらは持ってないもの」

「しまった！　靴！　靴が入らない！」

アリシアが持ってきてくれた靴は、さすがにぼくには無理だった。

「大丈夫よ。靴なら私のが使える……！　ちょっと大きいけど、ひもをきつく絞めればなんとかなるでしょう」

トランクが開けられ、ぼくの服がしまわれるかわりに、大急ぎでベアトリスの靴が引っ張り出された。

「内緒で抜け出してきたから、はやく帰らないと」

最後にアリシアはバスケットと小さな包みをベアトリスに渡して、頑張って、と小さな声でいうと、待たせていた馬車で大急ぎで帰っていった。

全部で5分もかからなかったと思う。

あとには、お行儀よく座って保護者を待っている女の子が二人、残された。

第20章　スコットランド

ドラゴンの炎(ほのお)の攻撃(こうげき)に対しては、
耐炎性帽子(たいえんせいぼうし)と耐炎性マントが有効である。

１８５１年10月　ドレイク博士の日記より

フライング・スコッツマン（空飛ぶスコットランド人）という列車のことは、だれもが知っている。

毎朝10時にロンドンの、キングスクロス駅の10番ホームから発車して、途中(とちゅう)どこにも止まらず、一気にスコットランドの首都エディンバラまで10時間半で突(つ)っ走る。

その名のとおり、空を飛ぶようにはやい。

でもドレイク博士は、エディンバラから鈍行でインヴァネスまで行くのでは時間がかかりすぎるといって、ユーストン駅のほうに、ぼくたちを連れてきたのだ。朝の8時55分にユーストン駅から出発し、カーライルとパースに途中停車し、目的地のインヴァネスには夜10時に着く列車だ。

もちろん、帰ってきた博士はぼくを見て一瞬ぎょっとしたが、賢いやり方だ、といって笑った。

変装しておいて、本当によかった！　とぼくは思った。

女の子の服はいまいましかったけど、アリシアが来てくれなかったら、ぼくたちは列車に乗る前に捕まっていたに違いない。

というのも、ぼくたちが自分たちの車両に行こうとホームを歩いているとき、さっきすれ違ったのとは違う警察官たちが、ホームに入ってくるのが見えたから――。

女の子の服と靴は動きにくい。ぼくはうっかり転んで、ばれたり、顔を見られたりしないように、帽子で顔を隠して、うつむいてゆっくり歩いた。

二人の警察官が、列車の窓をのぞき、乗客を確認しながらホームを歩き始める。

警察官たちがぼくたちの車両をのぞいたとき、博士は荷物を網棚に乗せようとして警察官に背中を向けていたし、ぼくはかがみこんで靴ひもを直していた。

警察官たちは何も疑わずに、つぎの車両に移っていった。

車掌の笛が響き、列車は、警察官をホームに残してゆっくりと動き始めた。

しばらくすると車掌がまわって来て切符を切っていったので、もう大丈夫だろうと思い、ぼくはドレスを脱いで自分の服に着替え、ようやくほっとした。

ドレイク博士に、アリシアにもらった包みを見せると
「何が入ってるんだろう?」と、博士はいった。

「見てみましょうよ」ベアトリスが小包をほどくと、中にはなんと、ドレイク博士の耐炎性マントが入っていた!

「Q·T·B·ね！」とベアトリスは喜んでいった。

「ありがたい！」ドレイク博士も声をはずませた。

「これがあると思うとほっとするよ」

バスケットのほうは、開けてみるとコールドチキンとパイ（ミートパイとアップルパイも！）、パンとチーズ、が3人分には十分すぎるほど、それとミルクの大きな瓶が入っていた。

朝からまだ何も食べていなかったので、ぼくたちは思わず歓声をあげた。

「ところでこの長旅で、きみたちが読めそうな本を持ってきたよ」

お腹がいっぱいになって人心地がつくと、博士は自分のかばんを開けて、2冊の分厚い本を取り出してぼくたちにくれた。

「ドラゴン学は魅力的な学問だが、物理、地理、化学、神話などといったほかの知識も身につけないとね。どれも、新米のドラゴン学者にはとても役に立つ学問だ」

ぼくのは、エリザベス女王時代の博物学の本で、著者はエドワード・トプセル。題名は『四脚獣の歴史』だった。いろいろな動物の空想的な絵がたくさん載っている本だ。実在するものや、実在しないものも載っている。

ドレイク博士は、その中から明らかに間違いだと思われる部分を書き出すようにといった。ぼくは、その作業だけでかなりの時間がつぶせると思った。パラパラとページをめくってみただけでも、かなり間違いがあったからだ。

たとえば、キリンはラクダと野生の豚の中間の動物であるとか、カバはワニよりも肉を好む肉食の動物であるとか……。

ベアトリス用の本は、熱帯地方のヘビやトカゲなどを、卵から育てる方法についての本だった。ベアトリスはおもしろくなさそうにしていたが、ドレイク博士に、ドラゴンの卵を孵化させないといけなくなった場合のことを考えて、読んでごらんといわれ、そうでもなくなったようだ。

「すべてがドラゴンにあてはまるわけではないけれど、方向性としては似ていると思うよ」と、博士はベアトリスにいった。

＊

夜の7時頃、エドワード・トプセルの本の間違い探しにも疲れたので、ぼくは窓の外をぼんやりながめていた。

列車はパースを出て、スコットランド高地を走っている。

湖やその岸にたたずむ廃墟になった城、そして紫のヒースの花で一面埋めつくされた丘。とても気持ちのよい夏の夕方で、高い建物のない高地は遠くまで見渡せた。

ふと地平線のほうを見ると、遠くの山の上をワシが飛んでいる。

やけに大きく、妙にはやいワシだ。しかし、それは、ワシなんかではなかった！

その翼には、傘のようにうねがあった。
長い尾の先は矢じりのようにとがっている。
脚が2本ではなく、4本ある！
角のある大きな頭が、列車のほうを向いたときに、ぼくは息をのんだ。
ヨーロッパドラゴンだ！
それも、スコーチャーのように赤くはない。
緑色の成獣だ。
15メートルはあるそのドラゴンは、まっすぐ列車のほうに向かってくる！
「ドレイク博士！」ぼくは、興奮してドラゴンのほうを指差して叫んだ。
ドラゴンはまっすぐ、列車に突っこんできた。
ある意味、素晴らしい光景だった。
ドラゴンは、尾が地面につくのではないかというほど低空飛行し、減速して列車の速度にあわせてゆっくり飛び続けた。

列車の窓から、そのヘビのような巨体がはっきりと見えた。

ドラゴンが大量の空気を鼻から吸い、列車の窓から中を大きな目でのぞくようすをぼくは見ていた。ドラゴンの鼻の穴からは細い煙が出ていた。

ドラゴンがぼくたちの乗っている車両に近づいたとき
「かがんで！」と、ドレイク博士が叫んだ。

しかし、その瞬間、だれかが非常ブレーキを引いたのだろう、キキキキーと音を立てて急ブレーキがかかった。

ぼくたちはゴロンゴロン床を転がった。ドラゴンは飛び去った。

列車が止まった。

起き上がると、ドレイク博士は耐炎性マントをつかみ
「ここにいなさい！　見つかるんじゃないぞ！」

と叫ぶと、列車のドアを開けて外へ出ていった。

　ところが、ようやく起き上がって、ぼくが博士の出ていったドアを閉めようとしたとき、突然男が乗りこんできて、ぼくの首根っこをつかんでひょいと持ち上げた。

「離せ！」ぼくはわめいてせいいっぱいけとばした。「あっち行け！」

　でもその男はプロだった。ぼくたちの抵抗なんかどこ吹く風で、もう一人、男が車両に乗りこんできてベアトリスを捕まえると、二人の男は軽々とぼくたちをかついで草原を横切り、線路に平行して走っている道へと連れていった。

　少しすると、黒い馬車が現れた。

　馬車の後ろには木箱がくくりつけられている。

　二人の男が馬車の中にぼくたちを押しこむと、目の前に、イグネイシャスの白い顔と歯が、暗い馬車の中でうかんで見えた。

　イグネイシャスはぼくたちには目もくれずに、上の空で膝の上のフリッツをなでながら、窓の外をじっと見ていた。

イグネイシャスの隣には、青白い肌の、きれいな女性が座っていた。黒いケープをはおり、乗馬靴をはいている。

フリッツがこっちを向いて、先が割れた舌を出したり入れたりしながら、シャーッと、猫のように歯をむいた。

イグネイシャスはいまようやく気がついた、というようにこっちを見た。

「きみたちにもショーに参加してもらえるなんて、うれしいね。ちょうどクライマックスに間にあうよ。もちろん、これは悲劇だがな」

イグネイシャスは馬車の窓を開けると、列車のほうをステッキで差した。

止まってしまった列車のほとんどの乗客は、車両の中でちぢこまっているか、あわてふためいて走りまわっているかだった。

しかし、一人だけ、列車から離れてまっすぐ立っている人がいた。

博士だ！

片手を上げ、鋭く口笛を吹く。

すると突然、ドラゴンがドレイク博士に向かって飛んできた。

頭の向きを変え、大きな炎を博士めがけて一直線に吐き出す。

ベアトリスもぼくも、狂ったように叫んだ。

でも、何にもならなかった。

ドレイク博士は、一度目はかがんで炎をよけることができたが、ドラゴンはまた深く息を吸いこむと、博士に向けて大きく炎を吐いた。

馬車が角を曲がって見えなくなるまで、ぼくたちは、怒りくるったドラゴンの炎が何度も何度も博士に向かって吐き出されるのを見た。

イグネイシャスは満足そうに喉を鳴らし、窓を閉めた。

ベアトリスとぼくは、衝撃のあまり言葉が出てこなかった。

「スクラマサックスは、私がスコーチャーを返せば、スコーチャーを盗んだのはドレイク博士だと信じるだろうし、そうすればドラゴン・アイを私に渡してくれるだろう。これで、ようやくドラゴン・マスターだ！
　そうそう、私の友だち、ゴリニチカさんをまだ紹介していなかったな。彼女は、ロシアから来た、私の親しいドラゴン学者だ。私のものであるべきものを取り返すために、いろいろと手伝ってくれているのだよ。ゴリニチカさんはドラゴンの病気の研究ですばらしい業績を挙げていてね。とくにインド北部にすむドラゴン、ナーガの研究でね。彼女にも、きみたちの親に対して何か特別な計画があるようだよ」

　ゴリニチカはぼくたちを見て、冷たい笑いをうかべた。

「ついにお知りあいになれてうれしいわ。あなたたちは二人ともドラゴン学者の才能がとてもあるようなのに、それをのばすチャンスに恵まれないのは、本当に残念だわねえ」

第21章　ベンウィヴィス山

怒れる母親ドラゴンと、ドラゴンが愛する子どもとのあいだに立つとは、なんという愚か者か！

１８５１年12月　ドレイク博士の日記より

イグネイシャスに捕まったぼくたちは、ディングウォール近くの薄汚い小屋に一晩閉じこめられ、つぎの日、ベンウィヴィス山へと連れていかれた。ドレイク博士がいなくなったショックと、ドラゴンの炎が頭から離れず、ぼくは一睡もできなかった。そのうえ、ベアトリスとぼくは縄で一緒にしばられていたので、ひどく歩きにくかった。

なぜか、アレクサンドラ・ゴリニチカは一緒に来なかった。

もうこれ以上は馬車で行けないところまで来たとき、二人の男が手押し車に大きな木箱を乗せようとした。すると、怒ったような甲高い鳴き声が木箱の中から聞こえて、木箱のすきまからシュウシュウと煙が噴き出した。

「スコーチャーが目を覚ましたな！」

イグネイシャスは木箱に向かって「眠れ、眠るんだ」とささやいた。

「これでよし。これでまた眠りにつくだろう」

ぼくはベアトリスの顔を見た。ベアトリスも、同じことを考えたのがわかった。

イグネイシャスは、列車を襲ったドラゴンと同じように、スコーチャーにも、自分が操れるように、魔法をかけたんだ……大変だ！

イグネイシャスはぼくたちを連れて、また歩き出した。

しかし、まっすぐ頂上のほうへではなく、途中から、小石や岩でいっぱいの斜面をよろめきながら斜め上に向かった。

そのときにはもう手押し車も捨て、男たちは長い棒を木箱にくくりつけて、二人がかりで、輿のようにかついで運び始めた。

ついに、大きな岩がごろごろしているが、ドラゴンにとってなら十分平らといえる広い斜面と、大きな洞穴の入口が見えた。

ぼくたちはそこに着くまでにゼイゼイ息を切らせたが、重いスコーチャーを運んでいるイグネイシャスの手下たちはまだはるか後ろだったので、待っているあいだに少しは休むことができた。

ようやく最後の険しい岩を越えて洞穴の入口へ着くと、イグネイシャスが洞穴の中をランタンで照らした。

「スコーチャーを運んでこい！」イグネイシャスが叫んだ。

そこは、ドラゴンがすむ穴としてぼくが想像していたような、広い洞穴ではなく、ただの、トンネルの入り口のようだった。

しかし、ドラゴンの痕跡はいくつもあった。

天井は、煙のせいであちこちすすけていて、地面には動物の骨が散らばっている。

イグネイシャスはぼくたちを引っ張り、さらに奥へと進んでいった。

スコーチャーのような匂いがだんだんと強くなり、そして暑くもなってきた。

イグネイシャスのランタンの光はあまり明るくなかったが、それでも、その光は、地面に散らばる何かの動物の骨を、まるで警告のように照らし出した。

奥に入るにつれ、フリッツはだんだん落ち着かなくなり、ついにはイグネイシャスの肩から離れ、出口の方へ逃げていってしまった。

細い道はだんだん太くなり、ついに広い場所に着いた。

音の反響で、そこが本当に広い洞窟なのがわかった。

はじめのうちは何も見えなかった。

やがて目が慣れると、その広間の奥に巨大な何かがうずくまっていて、その大きな二つの目が暗闇からまっすぐぼくたちを見下ろしているのがわかってきた。

きのう列車を襲ったドラゴンと、同じくらい大きい！

ようやく男たちが木箱を運んできてそっと地面に置くと、その生きものが、そっちに頭を向けるのがわかった。

突然、ベアトリスがハッと息をのんだ。

ぼくも、ドラゴンのほうにくぎづけになっていた目を地面に移した。薄ぼんやりとしたランタンの光でも、洞窟の地面が黄金で埋め尽くされているのがわかった。

赤や青の宝石も、あちらこちらで鈍く輝いている。

これがドラゴンの宝物なんだ！

そうしてその宝の上に、その巨大なドラゴンは座っていたのだ。

目が慣れてくるにつれ、どんどん、あたりが見えるようになってくる……。

これが、スコーチャーのお母さんの、スクラマサックスなんだ！

ぼくがイグネイシャスのほうを見ると、イグネイシャスは不安げだったが、それでも宝物のほうをチラチラ見ていた。

ドラゴン・アイを探しているんだ。

イグネイシャスは優雅にスクラマサックスに会釈をすると、ぼくたちの綱を引っ張って、ひざまづかせた。

そのときスクラマサックスが口を開いた。

彼女の声はとても力強く、深みがあったが、なんというのか、自分の言葉ではなく、外国の言葉を話しているようなぎこちない話し方だった。

「イグネイシャス・クルック……。これはまためずらしいこと」

「あなたのお子さんを連れもどしてきたのです」

イグネイシャスは震える声でいった。

「それに、おくりものも持ってきました」

イグネイシャスは木箱のほうへ行き、かけ金を外した。

スコーチャーが眠そうな顔をして現れた。

スコーチャーを見たとたん、スクラマサックスの気分が和らいで、洞窟の中が〝優しい気〟でサーッと満たされたのがわかった。

スクラマサックスはまだ眠そうにしているスコーチャーを尾で優しく抱き上げてほおずりすると、自分の後ろにそっと置き、ぼくたちのほうを再びにらみつけた。

「私はあなたのために、お子さんを取りもどしてきました。あなたもご存じのとおり、ドレイク博士に盗まれたお子さんを……」

「そ〜う」と、スクラマサックスは深みのある声で歌うようにいった。

「ドレイク博士は我々が、信頼するにたる人間ではなかった、ということかしら？」

「残念ながら、そのようですな」と、イグネイシャス。

「それにどっちみち、彼は死んでしまいましたしね」

「それは、残念なこと……」

スクラマサックスはイグネイシャスを見すえると、冷ややかにそういった。

「私の父、エベニーザー・クルックは、ドレイク博士にはドラゴン・マスターをゆずりませんでした！」

「そうですね。でもエベニーザーは、あなたにゆずるように、ともいいませんでしたよ」と、スクラマサックスは静かな声で答えた。

「私の家系はドラゴン・マスターを３００年近くも受け継いできたんです！　私が受け継ぐのが当然ではありませんか！　私の父があなたに返した宝を私に渡してくれるなら、私もあなたを助けます。そうすれば、ドレイクのようなやからに、これ以上、迷惑をかけられることもありません！」

「そう……、迷惑をかけられなくなるのは、大歓迎ね。ところで、ここにいる人間の子どもたちはだれ？　なぜ、あなたはこの子たちを連れてきたのですか？」

「この二人は私からあなたへのおくりものです。スクラマサックス、こいつらは、あなたが守っていたセント・ギルバートの角を盗んだ者の、子どもたちです」

「本当？」スクラマサックスは、燃えるような目で、ぼくたちをじっと見た。

　これ以上黙っていられなくなって、ベアトリスが声を上げた。

「父は何も盗んでいません。盗んだのは、イグネイ……」

　そういいかけたとき、イグネイシャスが縄をグイッと強く引っ張ったので、ぼくたちは二人とも倒れてしまった。が、ベアトリスは起き上がって、なおもいった。

「イグネイシャス・クルックがやったのよ。あなたの宝を盗んだのは彼よ！」

　スクラマサックスは、ベアトリスのほうを向いた。

「何か証拠はありますか？」

「証拠などあるわけがない」イグネイシャスがさえぎった。

「この子たちの親が本物の犯人です。私にドラゴン・アイを渡してくれれば……」

「あのとき……」スクラマサックスはイグネイシャスにささやいた。

「あの大事な角が盗まれたあと、あなたにも疑いがかかりました。私の巣には出入り禁止になったのではありませんか」

「それはわかっております。でも、私があなたの子どもを連れもどせれば、あなたの怒りもおさまるのではないか……、私を認めてもらえるのではないかと……」

イグネイシャスは、必死になって食い下がった。

「そうですか……」と、スクラマサックスは静かに笑ったように見えた。

「たしかに、あなたは私の子どもを返してくれました。あなたのいい分は、広い外に出て聞かせてもらうことにしましょう」

そうしてぼくたちは、ふたたびトンネルを抜け、山の斜面へ出た。

スクラマサックスは、巻いていた長い巨体をのばして、すべるようにぼくたちのあとから出てきた。

外に出たとき、ぼくは信じられない光景を見た。

ドレイク博士がそこに立っていたのだ！

「博士!!」ぼくたちはうれしさのあまり、我を忘れて叫んだ。

イグネイシャスは、ポカンと口を開いて立ちすくんだ。

そのすきに、ぼくたちは縄を体ごと強く引っぱった。

すると縄の端がイグネイシャスの手からスルッと落ちたので、ぼくたちはドレイク博士のもとへ必死になって走った。

「そんな馬鹿な。おまえが焼け死ぬところを見たんだぞ！」

イグネイシャスは大声を上げた。

「イグネイシャス、イグネイシャス……」

ドレイク博士はぼくたちの縄をほどきながら、ゆっくりといった。

「きみだって、あの単純だが、素晴らしく効果的な耐炎性マントという、ドラゴン学者の道具を知っているだろう？　私が何のために、わざわざいったんロンドンにもどったと思うのかね？　あのマントは本当に役に立つね！　そうしてきみには私が死んだと思わせておいて、先回りをしてここに来たんだ。そして、スクラマサックスに、きみが何をたくらんでいるのかをすべて話した。もちろんスクラマサックスは、ひどく怒ってすぐにでもきみの命を奪おうとしたが、クック家の子どもたちがきみに捕まっていることを説明すると、なんとか待ってくれたんだ。本当に夕べ、きみの命は危なかったのだよ。もちろん、いまだって危ないわけだが……。あ、それからもう一つ。ドラゴン・アイは、きみには絶対に見つけられないよ……」

「ここにはないというのか!?」イグネイシャスが震えながらいった。

「あるわけがないでしょう！　私はたったの１８０歳。私のような若いドラゴンがドラゴン・アイを託されるわけがありません！　イギリス諸島で最も年をとった、最も賢いドラゴンが、ドラゴン・アイを守っているのですよ。もちろん私は、そのドラゴンがいる場所を知っていますが、あなたには教えません！　こうやって話しているうちにも、だんだん怒りがこみ上げてきました。もし、私があなただったら、私から盗んだあの角をすぐに返すでしょうね」

「ドレイクのいうことなど、信じるな！」

イグネイシャスは叫んだ。

「ジョン・クックが角を盗んでいったんだ」

するとスクラマサックスは頭を後ろにグッとそらし、怒りをこめて、吠えた。

ドレイク博士でさえ、少し身構えたほどだ。

スクラマサックスは、イグネイシャスをにらみつけて叫んだ。

「愚か者めが！　お前の匂いが私にわからないとでも思ったのか？　角を盗んだ犯人はお前だと、はじめから私にはわかっていました！」

「じゃ、なぜそのときに私を殺さなかったのだ？」

「あなたを殺してしまったら、角がどこにあるのかわからなくなるでしょう！」

「それにあのときは、いつスコーチャーが卵からかえるかわからないときで、巣を何日も留守にするわけにはいかなかった。今回、私が巣を離(はな)れたすきにスコーチャーが盗まれたときも、犯人はあなただとすぐわかりました！」

「では、なぜ追いかけてこなかったのだ？」

「私が知らせをやったからだよ」と、ドレイク博士がいった。

「きみがスコーチャーを店に置いていった朝、すぐにスクラマサックスには使いを出したのだ。見たらスコーチャーは病気だったから、しばらく私が預かったほうがいいと判断したものでね」

「ならば、愚か者は私を放っておいたあなたのほうだ！」

イグネイシャスはあざけった。

「セント・ギルバートの角は、すでに私に力を与えたのだからな！」

イグネイシャスはそういうと、ポケットから角笛を取り出し、3回吹き鳴らした。

やがて、空のかなたから雷のような獣の咆哮がとどろき、列車を攻撃したあの巨大な緑色のドラゴンが現れた。

間近で見ると、列車から見たときよりも、はるかに大きい。

スサクラマサックスと並ぶと、倍近くあるのがわかった。

これがセント・ギルバートの角によって呼びだされたドラゴンなのか？

そうか！　イグネイシャスはこのドラゴンを呼び出して、家を焼かれたんだ！

「イドリギア」と、イグネイシャスは呼びかけ、ぼくたちを指差した。

「ご主人さまの命令だぞ！　こいつらを焼いてしまえ！」

巨大な緑色のドラゴンは降り立つと、頭をそらし、ぼくたちに向かって炎を吹きつけようとした。その瞬間、スクラマサックスが前に立ちはだかった。

戦いが始まった。

互いに飛びかかりあい、グルグル円を描きながら宙を飛び、何度もぶつかりあい、炎を吐き、尾でたたきつけ、かみついた。

石がはね飛び、翼がはばたくたびに風が吹き荒れた。

ぼくたちは巻き添えを食わないように逃げまわるだけでせいいっぱいで、スクラマサックスに何の手助けもできなかった。

しばらくすると、小さいスクラマサックスのほうが弱ってきた。

イドリギアがかぎ爪のある前脚でスクラマサックスの首をつかむと、サッと血が吹き出るのが見えた。2頭は互いにからみあい、ドサッと地面に倒れた。

ドラゴンの闘いに夢中になっていたぼくは、ふとドレイク博士のほうに目をやった。すると、ドレイク博士はイグネイシャスと取っ組みあいをしている。

男のうちの一人が小銃を取り出し、ドレイク博士を撃とうとしていた。

しかし、戦っているドラゴンたちのせいで、なかなか狙いをつけられない。

そのとき、ベアトリスがもう一人の男から、ドラゴンの粉の小箱を取り上げようとしているのが見えた。

ぼくはあわてて、ベアトリスともみあっている男に後ろから組みついた。すぐにはね飛ばされたが、そのあいだにベアトリスがその男から小箱を奪い取った。

「そいつらは、放っておいてこっちに来い！」イグネイシャスが男たちに怒鳴った。

「そんなやつらは、あとでどうにでもできる！」

見ると、ドレイク博士がイグネイシャスの上に馬乗りになって押さえこんでいる。

男はぼくたちを放し、イグネイシャスに加勢にいった。

ベアトリスがドラゴンの粉の小箱を開けようとしている。

「何やってるの？　ここから逃げなきゃ！」とぼくがいうと、

「でも、どうにかしなくちゃ！」

「見て！」ベアトリスが箱を開けた。

中には、輝く細かい粉が入った瓶と、銀製の小さい皿が入っていた。

「そうか！　アブラメリンのドラゴンを手なづける呪文の言葉、覚えてる？」

ぼくは叫んだ。

「もちろん！」とベアトリスも叫んだ。

「呪文を唱えたら、イグネイシャスのかけた呪文を取り消すことができるの？」

「わからないわ！　でも、やってみるっきゃないでしょ！」

銀の皿は、まだ湿っていた。

よかった！　だってここには水もないし、月も見えないんだから。

ぼくたちは大急ぎでドラゴンの粉を皿に移し、いまは地面の上で噛みつきあっているドラゴンたちにできるだけ近寄ると、緑のドラゴンに粉をかけて呪文を唱えた。

イヴァハスィ　イイウドウイン！
エニムオール　タイム　インスペルツ！
ボィアール　ウグオネール　ゲディット！

でも、何も起こらない……。

いや、突然、ドラゴンの動きが止まった。

イドリギアは、いきなりどうしていいかわからなくなったように突っ立った。

スクラマサックスのほうは、すでに地面に倒れたまま起き上がらない。

「ドレイク博士を助けて！」ベアトリスが緑のドラゴンに叫んだ。

その瞬間、イドリギアは尻尾を一振りして、イグネイシャスと二人の男をはね飛ばした。小銃がクルクル回りながら地面をすべっていった。

息も絶え絶えのドレイク博士は、地面に倒れこんだ。

イドリギアは無造作に小銃を大きなかぎ爪で踏みつけ、ぺしゃんこにした。

「イドリギア！　ご主人様の命令だぞ。ドレイク博士を殺すんだ！」

イグネイシャスが怒鳴ったが、イドリギアはゆっくりと、イグネイシャスのほうに向き直って、その赤い眼でにらみつけた。

ベアトリスは、ひどくそっけない声でイグネイシャスにいった。

「イグネイシャス・クルック、私なら逃げるわよ、それも、いますぐに！」

イグネイシャスはしばらく息をとめて突っ立っていたが、つぎの瞬間、ものすごいスピードで山を駆け下りていった。手下たちも、あとに続いた。

ぼくたちは、倒れているドレイク博士を抱き起こした。

「やれやれ、ありがとう。きみたちのお陰で助かったよ。きみたちは、もう本物のドラゴン学者だな」

「イドリギアはどうしたの？」

「きみたちに呪文をかけられたんだよ。さあ、自由にしてやってくれ！」

「ぼくたちが?!」

「かけることができたんだから、解くほうもやってみたまえ」

「どうやって自由にしてあげればいいの？」

「かんたんだよ。さっきの粉の効果が完全に消えるまで、だれのいうことにも従わないで自分の意思に従うように、と命令しておけばいいんだ」

ベアトリスがそばに来た。

「一緒にやりましょう」

ぼくたち二人はドラゴンの前に立って呼びかけた。

「あなたは自由よ！」

「だれのいうことにも従わず、自分の意思だけに従え！」

すると、イドリギアは、フウッと大きな息を吐き、ぼくたちのほうを向いた。

そのときにはドレイク博士はもう、スクラマサックスの横にひざまづいていた。うつぶせになって横たわっていたスクラマサックスは、ゆっくりと頭をもたげた。

よかった！　生きている！

「ドレイク」と、スクラマサックスはささやいた。

「私はかなりの深傷を負いました。力がもどるまで、巣の中でゆっくり休みたい。スコーチャーは、もう大丈夫でしょう。私と一緒に暮らし、私を助けてくれます。しかし、私にはまだ、孵化していない卵が一つあるのです。だからスコーチャーが連れ去られたあとも、あとを追いかけられなかった……。でもこの状態では面倒を見られない。あと2か月くらいでかえるでしょう。私はあなたを信頼します。どうか私の卵の面倒を見てください。私が元気になって迎えにいくまで」

「わかりました」と、ドレイク博士はいった。

「あなたの卵を預かりましょう。元気になるまで！」

「ありがとう。感謝(かんしゃ)します」

「では、あなたが知るべきことを教えましょう。ドラゴン・アイは、イギリス諸島(しょとう)の最も年とったドラゴンによって守られています。よく聞いてください」

ウォントリーの大煙突(だいえんとつ)の近く
草の生えぬ地に隠(かく)されたりし戸口あり
大煙突からの侵入(しんにゅう)は避(さ)けよ
火と炎(ほのお)に焼かれたくなくば
地下の道を行かねばならぬ
そして、ウォントリーダムに欲(ほっ)する言葉を授(さず)けよ

スクラマサックスは、そう、謎(なぞ)かけをすると、傷(きず)ついた体を引きずって、洞穴(ほらあな)の

中に入っていった。

ドレイク博士はスクラマサックスのあとについていったが、すぐにまた出てきた。耐炎性マントに包んだ、大きくて丸いものを大事そうに持っている。

「このマントは卵を温め続けると同時に、これに触れる者の手を殻の熱から守ってくれるんだ。この卵は熱いからね、直接触ってはいけないよ。ベアトリス、この卵の面倒を見てくれるかね？」

「ええ、ええ、もちろん！　ちゃんと面倒を見るわ」

ベアトリスは感激のあまり、泣きそうになっていた。

そのつぎに博士はイドリギアのほうを向いて、

「いま、私たちは、ちょっと困っているんだ。これから、あの謎を解いてイグネイシャスより先にドラゴン・アイを見つけなければならない。イドリギア、私たちを助けてくれないかい？」といった。

「私は、あなたがたに自由にしてもらいました。ですから、喜んでお手伝いさせていただきます。でも、まず私も一度、ウェールズの自分の巣にもどらなくてはなりません。私にも私の守るべき宝がありますが、今回留守をしているあいだに、それがどうなったかいま心配しているところです……」

「私たちの家はサセックスにあるから、きみのスピードなら、寄ってもらってもさほど時間はかからないよ。まず、家まで送って欲しいんだ、イドリギア」

イドリギアが承知すると、ドレイク博士はぼくたちに向かっていった。

「さあ、時間を節約するために、これからドラゴンに乗せてもらおう。でも、本当に気をつけるんだよ。鞍なしで乗るのだからね！」

ドラゴンに……

乗る?!

うわおっ!!

第22章　ウォントリーへ

ドラゴンに乗るときは、どんなに慣れた乗り手でも
細心の注意を払わなくてはならない。
１８５２年１月　ドレイク博士の日記より

イドリギアは、ぼくたちが乗れるように、その長い首を地面につけた。ベアトリスとぼくはドレイク博士の手を借りて、イドリギアの背にのぼった。ぼくたちは背中のごつごつしたくぼみの中で、つかまっていられるものがあって、一緒に座っていられるところを探した。

ドレイク博士が、上は寒いぞ、といって、ベアトリスにスコーチャーの木箱にかけていた布をよこした。ぼくたちはそれにくるまった。

ドレイク博士も、卵が落ちないように、しっかり縛りつけられるところを探して座った。

そのときスコーチャーが洞穴からヨタヨタと出てきたのを見て、ベアトリスが「待って！」と叫ぶと、イドリギアからすべり降りた。

スコーチャーの前で、何かいっている。

ベアトリスがもう一度、よじのぼってきて座ると
「またな、スコーチャー！」とドレイク博士が叫んだ。

「お母さんを頼むぞ！　今度会うときには、たぶんきみも話せるようになっているね！」

スコーチャーが、翼を広げて、ギャーッと叫んだが、その声はそれまでのせっぱつまった、悲しげなものではなかった。

イドリギアはゆっくり立ち上がると、大きな翼を広げ、2、3歩歩いたかと思うと、音もなく空へと飛び上がった。

ぼくたちのはるか下に、ベンウィヴィス山の森が広がった。

もっと先には、グレート・グレン断層にできたネス湖が輝いて見える。

イドリギアは、ふだんは雲の上を飛ぶのだそうだ。

そのほうが人間に見つからないからだ。

でも今回は、みなさんには寒すぎるでしょうから、といって雲のかなり下を飛んでくれたので、ぼくたちは素晴らしい空中旅行をすることになった。

スコットランドからイングランドへ！

確かにぼくたちのイギリスは、美しい国だ。

グランピアン山脈を過ぎ、フォース湾を横切り、ときたま緑の中に街も見えた。

ドラゴンは〝フライングスコッツマン〟よりも、はるかにはやい！

世界で一番はやい乗りものだ！

「さっき、スコーチャーに何をしたの？」

とぼくが叫ぶと（風の音がすごいので、叫ばないと聞こえなかった）

「スコーチャーの呪いを解いてきたのよ！」とベアトリスも叫び返してきた。

「時間がたてば消えるでしょうけど、用心するにこしたことはないでしょ？」

3時間もしないうちに、突然、ドレイク博士が叫んだ。

「あの街が見えるかい？　あれはもうロンドンだよ！」

その場所には高い塔や建物が立ち並び、その上の空は、何千もの煙突から出た煙で黒っぽくかすんでいた。

ぼくたちは、ロンドンを大きく迂回して、サセックスへと飛んだ。

サセックスに入ると、イドリギアは速度をゆるめ、少しずつ降下していった。

「あそこがホーシャムだ。教会のとんがった塔が見えるだろう？　それを左へ。農場を過ぎたら、森のほうへと行っておくれ」

間もなく、ドレイク城が木々の中に見えた。

「あの芝地に降りて！」

イドリギアは、ゆうゆうと、ドレイク城の芝地に着地した。

すごい！

今日の昼にはぼくたちはスコットランドにいたのに！

もうサセックスにいるなんて！

イグネイシャスは、ぼくたちがサセックスに帰り着いているとは思ってもいないだろう。これで何日かは稼げたはずだ。

ぼくたちがイドリギアの背中から降りる頃には、ガメイさんも、ダーシーもエメリーも家から出てきて迎えてくれた。そうしてみんな、こういうことはよくあることですから、とでもいうように、イドリギアに平然と挨拶した！

イドリギアがドレイク博士にいった。

「私はこれでいったん自分の巣にもどります。あまり長いこと留守にしておきたくないので。もしお望みであればもどってきます。ドラゴン・アイがあのイグネイシャスの手に渡るのは、私も我慢できませんから」

「では、あさって、もどってきてくれるかい？　せっかくイグネイシャスに先んじた時間を無駄にしたくないが、謎を解くのにそれくらいはかかるだろうからね」

イドリギアは大きくうなずき、首をもたげ、優雅に空へ飛び立っていった。

イドリギアを見送ると、ドレイク博士はベアトリスに卵を渡した。

ベアトリスはドラゴンにも酔って、青い顔をしていたんだ。

が、大事そうに卵を抱えて、ガメイさんと一緒に家の中に入っていった。

「さて、卵を孵化させる場所を作らなければならないな」

とドレイク博士がいうと、エメリーとダーシーは納屋に向かった。

ぼくは何もいわれなかったのでうちに入ると、驚いたことに、この真夏に応接室の暖炉に火がつけられるところだった！

スクラマサックスの卵が金網のかごに入れられて、吊るされている！

「何してるの！」ぼくは大声をあげ、火から卵を救おうとした。

「大丈夫よ、ダニエル」ベアトリスは落ち着いていった。

「この卵にはこのくらいの熱がいるんですって。エメリーとダーシーがこれから納屋に、ちゃんとした石炭の巣をつくってくれるまで、こうして置いておくのよ」

そのあと、ベアトリスとぼくは記録帳をつけるのにかかりきりになった。

書くことは山のようにあったからだ。

書くのに飽きると、卵のようすを見にいき、ひっくり返した。

ニワトリの卵のように、ドラゴンの卵も中味がくっついてしまわないように、1日に1回、ひっくり返さなくてはならない。

ドラゴンの卵の殻は固いので、そうそう割れたりしない、といわれたが、炎の上から一度はずして卵をひっくりかえして元に戻すのは、本当に最初はおっかなびっくりだった。

スクラマサックスの謎にも、全員で取り組んだ。

「ウォントリーという場所は、本当にどこかにあるのでしょうか？」

ベアトリスがドレイク博士に聞いた。

「私も地図を調べたがウォントリーという場所はどこにも見つからないんだ。私の記録帳に、ウォントリーのドラゴン……という言葉があったと思うんだが……確か、詩か何かだったような……。記録帳さえあればなあ……。突起のついたよろいをつけた騎士が井戸に隠れ、水を飲みにきたドラゴンを打ち負かした、という話じゃなかったかな……。でも、その話をどこで採集したか、まるで記憶がないんだ」

ドレイク博士は、くやしそうだった。

「チディングフォールド男爵あてに手紙を送っておいたので、ロンドンのほうでも何か調べてくれるかもしれない」

記録をつけてしまうと、ダーシーはぼくたちにジャマールの面倒を見る手伝いもさせた。

何日か見ないうちにジャマールは、かなり大きくなっていた！

人間の子どもでいえば、もう赤ちゃんではなくなって、幼児になった感じ？

もうこっちのいうこともちゃんとわかるし、うっかり尾を振ったら、囲いを壊しちゃった……みたいなところがなくなっていた。

両生類や爬虫類はたいていそうだが、自分でエサを探せるくらいまではあっという間に大きくなる。親があんまり面倒をみない生きものは、そうでないと、生き延びることができないからだ。

ドラゴンは、親がちゃんと面倒をみるので生まれる卵の数も少ないが、昔の名残りで、あるところまではあっというまに大きくなるのだそうだ。

ただ、そこから本当の成獣になるまではうんと時間がかかる……。

それこそ、何百年も……。

そう考えると、スクラマサックスは、うんと若いドラゴンなんだ！

ぼくたちが肉をいっぱい積んだ荷車を押していくと、ジャマールはとてもうれしそうに迎えてくれた。リンゴ投げのとき以来、どうやら、ぼくたちはジャマールに覚えていてもらえたらしい。

ジャマールは、あのリンゴの日よりも、ずっと飛ぶのがうまくなっていた。もう飛ぶ練習をするのに、リンゴはいらない。

牧場の上を、すべるように滑空して見せてくれた。

もちろん、イドリギアに比べたら、まだ全然だけど――。

スクラマサックスの卵は、エメリーが納屋の中に、土で作った即席のかまどの上に置かれた。卵に適した温度は、ドレイク博士が教えてくれた。下には火のついた石炭が、蒸気機関車のかまのようにいつも赤くなっている。この石炭当番は、とても大変だった。24時間、絶対に火を絶やすわけにはいかないからだ。全員で当番を決めてやったが、真夜中は大人がやるしかないので、昼間はほとんどぼくたち子どもの仕事になった。

ぼくたちは担当表を作って、せっせとジャマールと、卵の世話をした。

＊

謎を解く手がかりがやってきたのは、そのつぎの日だった。

ビリーとアリシアが馬車に乗ってやってきたのだ。

「父からの伝言です」と、ビリー。

「父が依頼して、大英図書館の司書にウォントリーの場所を調べてもらいました」

「それはありがたい！」

「ウォントリーは、いまではウォーンクリフという名前の村だそうです。なんでもシェフィールドの近くだとか」と、アリシアがいった。

「ウォーンクリフか！　そうか、そうだったのか！」

ドレイク博士は興奮していった。

「そうだ！　思い出した！　『ウォントリーのドラゴン伝説』の中で、ドラゴンを退治した騎士の名は『モアホールのモア』だった！　そのモアホールはシェフィールドの近くにあったとされているんだ。それにしても、ウォーンクリフとはねえ。まったく思いつかなかったよ。そうだ！　そうに決まってる！　ウォーンクリフには、ガーディアンがすんでいるはずだ。ということは、ガーディアンがイギリスで一番年上のドラゴンなのか！　さすが大英図書館だな。明日にはウォーンクリフに出かけよう。ダニエルとベアトリス。きみたちは、私がいないあいだ、ビリーとアリシアに、これまでの出来事を教えておいてくれたまえ」

「ぼくたちも一緒に行ってはいけないのですか？」

「今回はダメだ。危険過ぎる！」

「じゃあ、謎の残りの部分はどうするんですか？」

「うむ、あとは向こうでわかるんじゃないかとふんでいるんだ。『ウォントリーダムに欲する言葉を授けよ』の『ウォントリーダム』はガーディアンのことだと思う。『ダム』には『雌ドラゴン』という意味があるからね。ガーディアンに授けなければならない言葉というのは、おそらく『あれ』ではないかと……。とにかくこれで、イグネイシャスよりは1歩先んじたぞ！」

　その日、お昼を食べたあと、ぼくは自分の記録帳を持ち、外の芝生にぼんやり座りこんで考えていた。

危険だろうがなんだろうが、イギリス諸島で一番年をとったドラゴンに、ぼくは会ってみたかった。

そんなことをぼんやり考えながら、記録帳の謎を書いたページを開き、鉛筆で、

ウォントリー＝ウォーンクリフ

と書き、そのまわりにグルグル円を書いたときだ。

突然ぼくの記録帳がグイッと上に引っぱられたかと思うと、ぼくの手から消えてしまった。あわてて上を見ると、見覚えのある青い生きものがぼくの記録帳をつかんで飛んでいるではないか！

「フリッツめ！」とぼくは叫び、あとを追った。

フリッツは、キーッ、と鳴きながら、木々のあいだをぬうように逃げていく。

記録帳が燃えてしまうのではないかとハラハラしながら、なんとか見失わないように追いかけていくと、道にあのアレクサンドラ・ゴリニチカが、大きな黒い馬に乗って待っていた！

「気をつけなさい、フリッツ。燃やしちゃダメよ」

ゴリニチカが薄ら笑いをうかべてたしなめると、フリッツは薄く煙が出はじめていた記録帳をゴリニチカに渡した。

「返せ！」

しかし、ゴリニチカは片手をあげただけで、黙って記録帳のページをめくり、お目当てのところを見つけたらしく、そのページを破り取って、記録帳をぼくのほうへ放り投げてよこした。

「うれしいわ。あなたがとても几帳面なドラゴン学者で。それに幸運でもあるわね、私が急いでいて。フリッツは、私が命令すれば、どんな恐ろしいことでもしてしまうから……」

「フリッツはイグネイシャスのペットだろう?」ぼくは叫んだ。

ゴリニチカは笑った。

「イグネイシャスもそう思っているのよ。本当にお馬鹿さんったらないんだから」

ぼくがあとずさりすると、ゴリニチカはさらに大きな声で笑った。

「ところで、イグネイシャスが、またあの二人の手下を、ここに送ったらしいわ。今度は、ただじゃすまないわよ」

そういうと、フリッツを乗せたまま馬をめぐらし、ゴリニチカはゆっくりと去っていった。

ぼくは急いで家にもどった。

ドレイク博士に何といわれるだろう?

ぼくはおびえながら、ドレイク博士の書斎のドアをたたいた。

第23章　ドラゴン・アイ

ディー博士は、ドラゴン・アイを何時間も見つめていたそうだ……。
自分の姿が写しだされているドラゴン・アイを――。

１８５２年５月　ドレイク博士の日記より

つぎの日の夜、イドリギアが家の前の芝生に降り立った。ゴリニチカやフリッツのことを聞いたドレイク博士は、ぼくたちを一緒に連れていくことにしたのだ。

「だれかをよこす、というのはおそらく単なる脅しだろう。そんなことをして、何か益があるとは思えないからね。もし万が一、スクラマサックスの卵を割りでもしたら、それこそ自分の命がないことくらいはイグネイシャスもわかっているだろうし。それでも一応の用心はしておこう。１週間は厳戒態勢をとるぞ」

というわけで、ダーシーとエメリーとガメイさんは今回残り、ジャマールと卵を守ることになった。卵は一時的に納屋から居間の暖炉にもどされ、ジャマールが納屋に移された。ジャマールが納屋に入ると、ちょうど、犬が犬小屋に入ったみたいに見えた。

銃も用意された。

「だれか来てもジャマールに勝てる人間がいるとは思えないからね。ジャマールがいれば安心だ。だからもし本当に来るなら、銃を持ってくるくらいのことはするだろう」と博士がいったからだ。

エメリーは、そんなふうには見えないが、銃の名手でもあるそうだ。

ビリーとアリシアは帰された。

もちろん、ビリーはウォントリーに行きたがったが
「あと継ぎのきみに何かあったら、それこそ男爵に申し訳が立たない。私のほうがお父さんに殺されるよ」と、博士がいったからだ。

「でも、きみたちは連れていこう。きみたちはまだ自分で自分の身を守ることができないから、ここにいるより、連れていったほうが安全だろう」

ぼくは、ゴリニチカが……おそらくイグネイシャスも……ドラゴン・アイのありかを見つけるとしたら、それはぼくのせいだと思った。

でも、ドレイク博士は、フリッツがそんなに見事に記録帳を奪えるなんて、だれも想像できなかったよ、といってくれた。

それに、まだぼくたちのほうが先んじている、とも……。

ぼくたちは、あれこれ必要なものを準備して、まだ夜が明ける前にサセックスの上空へ飛びたった。

シェフィールドで、人に見られない時間に降りなければならないからだ。

今回は、ドラゴンにじかにではなく、ビリーとアリシアがロンドンから持ってきてくれた、ドラゴン用の鞍をつけて乗ることができた。

だから乗り心地は前回よりずっとよかったが、それでも楽ではなかった。

なぜなら前はぼくたちのために、なるべくゆらさないように飛んでくれたのだが、今回はウォーンクリフにはやく着くために、イドリギアは遠慮なく飛ばしたからだ。

それでも、ドラゴンの背中に乗って、風を感じながら飛ぶよりも素晴らしいことなんて、この世にありえない、と思う!

昼間、空を飛ぶのも素晴らしいが、星のきらめく中を飛ぶのも、なんともいえず、素晴らしい。

でもベアトリスは今回もドラゴンに酔って、全然平気なぼくに嫌味をいった。

さいわいなことに1時間もしないうちに、シェフィールドの街が見えた。

第23章　ドラゴン・アイ

街のまわりには、ヒースの生い茂る荒れ野が広がっていた。

「あの荒れ野はラムズリー・ムアだろう。ウォーンクリフはこの荒れ地の東側だ！」

ドレイク博士は、速度を落としたイドリギアに叫んだ。

イドリギアは、雲と闇にうまく隠れながら、街はずれの岩陰に降り立った。

ぼくたちは、イドリギアの背中から降りた。

ドレイク博士は鞍の装具を外し、イドリギアに向かって深くお辞儀をした。

「心から感謝する」

「私のほうこそ！　イギリスじゅうの全ドラゴンが、イグネイシャスにドラゴン・アイを渡さないことを望むでしょうから。ドラゴンがいつまでも自由であるように」

そう挨拶すると、イドリギアは音もなく飛び立ち、あっという間に小さな緑の点となって雲の中に消えた。

「さて、大煙突というものを探さなければならないね。岩の山か何かではないかと思うが……。でもその前に……」

ドレイク博士は荷物と鞍を一緒に岩陰に隠し、まずはぼくたちを、ウォーンクリフ村のはずれにある、目立たない、小さな宿屋に連れていった。

「なにも町じゅうに私たちが来た、ということを宣伝する必要はないからね」

と、ドレイク博士はいった。

ぼくたちは朝はやく、人目につかないうちに、町にそっと入った。

「この宿は私たちの味方なんだ」

そのとおり、ふくよかで穏やかそうな宿の女主人は、こんな朝はやくに突然やってきたぼくたちに驚いた顔もせず、何も聞かずにぼくたちを迎えて、トースト、卵とベーコン、おいしい紅茶、という朝ごはんをたっぷりと出してくれた。

ぼくはしっかり、つめこんだ。

この前もそうだったけど、今回も、いつこんなふうな、まともなご飯にありつけるかわからないと思ったのだ。

食べ終わると、ドレイク博士はぼくたちに2時間ほど仮眠をとるようにいった。ほとんど寝ていないうえに、たっぷり食べたぼくたちは、一も二もなく従った。

「今日はつらい1日になるだろう。いまのうちに力をたくわえておきなさい」

ぼくたちはベッドに入るやいなや、ぶっ倒れるように眠った。

そのあいだに博士は女主人に、サンドイッチやゆで卵、チキン、レモネード、水の瓶といった食料品の用意を頼み、荒れ野に「大煙突」と呼ばれているところがないかどうかたずねていたらしい。

女主人はしばらく考え、自分は知らないが、何でも知っている年寄りが近所にいるからといって、聞いてきてくれたそうだ。

それによると、自分は見たことも行ったこともないが、自分の母親がよくその話をしていたと、そのおばあさんは教えてくれたらしい。

そこは、ぼくたちがイドリギアから降りたところから、３マイルほどしか離れていない場所だった。

街からは何マイルも離れていて、何もないので、だれも近寄らないのだそうだ。そこにある岩には穴があいていて、昔はそこから煙や炎が出ていたらしい。最近ではその話を知る者もほとんどいなくなったが、ラムズリー・ムアには昔からドラゴンがすんでいて、そのドラゴンが穴から煙や炎を出しているのだという伝説があるのだそうだ。

まるで、煙突から出る煙のように。

ドレイク博士は地図を出してきて、その場所を確認した。

「今日は長い１日になるぞ！」

そのとおりだった。

ぼくはひそかにイドリギアを帰さなければよかった、と途中で思った。

イドリギアならこんなところは5分もかからないだろう。

でも、もう夜が明けて、街には人がたくさん歩いていたので、この人たちに見つからないように飛ぶのは、いくら荒野でもやっぱり無理だ。

背負える限りの荷物を背負って、どのくらい歩いただろうか……。

途中で、朝隠しておいた荷物も拾い（鞍は置いてきた）、昼ごはんを食べてしばらくしてから、ぼくは偶然、岩がごちゃごちゃとつめこまれたくぼみを見つけた。

それが何か、不自然なような気がしたので、ぼくはそこに入ってみた。

かがみこんでくぼみに入ってみると、下へと続く穴があった。

そこには人がすり抜けられるくらいのすきまが開いていた。そうして、そこからは、もうすっかりおなじみになった、ドラゴンたちのかすかな匂いが漂ってきた。

「ダニエル、よくやった！」

と、ドレイク博士は大喜びして、もう一度、すっかり覚えてしまった詩を暗唱した。

ウォントリーの大煙突の近く
草の生えぬ地に隠されたりし戸口あり
大煙突からの侵入は避けよ
火や炎で焼かれたくなくば
地下の道を行かねばならぬ
そして、ウォントリーダムに欲する言葉を授けよ

「大煙突が見つかったら、つぎは草の生えぬ地、だな。地面に、草も何も生えていない場所はないかな?」
「あそこは?」

ベアトリスは、大煙突から５００メートルほど離れた、何も生えていない地面を指していった。

「本当に？　このあたりには、何も生えてないとこはたくさんあるよ」

でも、ベアトリスが指差したところを見て、ぼくにもわかった。

ほかの何もはえていない地面はでこぼこの不規則なかたちをしているのに、ベアトリスが指差した場所は、見事なダイアモンド型をしていたのだ。

だれかが作ったとしか、思えない。

その場所の土はとても柔らかく、最初、ぼくはかんたんに掘ることができると思ったが、やってみたら全然かんたんではなかった。

穴掘りは重労働だった。

大きなくわは１本しか持ってこなかったので、博士がほとんど、ぼくとベアトリスが３分の１くらい、かわるがわる交代して掘ったが、それでも大変だった。

「やれやれ」と、博士はいった。

「きみたちを連れてきてよかったよ。一人だったらとてもできなかったろうな」

掘った土を穴の外に出すのも大変だった。

それも博士にいわれて、1か所に捨てるのではなくて、目立たないようにあちこちに捨てるのは——。

これはおもにベアトリスがやった。

「覚悟はしていたがね」と、ドレイク博士がいった。

「ここまでしっかり埋まっているとは思わなかったよ」

ようやくドレイク博士のくわが固い石にあたったときには、もう夕暮れになっていた。

ぼくたちはもうくたくただったが、発掘というのは何か発見できると元気が出るものだ！　3人ともがぜん張り切って、ふたたび掘り出した。

すると、古い石の板のようなものの輪郭が現れ始めた。

その土を全部取り除くのに、さらに1時間くらいかかったと思う。

それは高さ約1・2メートルくらい、横幅1メートルくらいの大きさの石で、地面からは2メートルちかく下に埋もれていた。

しかも石の前の土も1メートルほどは、のぞかなければならない。

表面には不思議な生きものがいくつも彫られていて、上のほうには妙なピラミッド型の印に眼が描かれている。

下のほうには、とぐろを巻いたドラゴンの絵。

その石に彫られた生きものたちの眼の部分には、赤や緑の、それぞれかなり大きな宝石がはめこまれていた。ぼくは全然くわしくないけど、これはルビーとか、エメラルド、とかいうものだろうと思う。

この宝石だけでも欲しがる大人はたくさんいるだろうが、本当に素晴らしいのは持ってきた刷毛でせっせときれいにすると、その彫刻は生き生きと甦ってきた。

その彫刻だった。

中央にはオーグル（鬼）と、人間の頭をしたヘビが闘い、イーグル（ワシ）と炎を身にまとったフェニックス（不死鳥）がその上で闘っている。

「見てごらん！」ドレイク博士は、ピラミッド型の印を指差していった。

「これは、ドラゴン学の中で、最も古く、もっとも神秘的な印だ。これはドラゴン・アイを意味しているんだよ。でも、この扉はどうやって開けるのだろう？」

博士が考えているあいだに、ベアトリスが戸口を手でさぐりだした。

「あら、この宝石、動くわ！」

「やめろ！」ドレイク博士が大声で叫んだ。

その声にベアトリスは、ピタッと手を止めた。

「わかったぞ！」ドレイク博士のはずんだ声が響いた。

「ありがとう、ベアトリス」

「何が？」ベアトリスはあっけにとられている。

「中央で闘っている4つの生きものたちの名前をいってごらん」

「ええと、オーグルでしょ。それからフェニックス、イーグル、それと、ヘビみたいな生きもの」

「それ、ナーガ？」と、ぼく。

「そのとおりだ。この4つの生きものをつなげるとどうなる？　この扉を我々はどうしたいのか？」

「うーん、naga, ogre, phoenix, eagle、だよね？」

「違うわ、ダニエル。ogre, phoenix, eagle, nagaよ！」

「そうか、o‐p‐e‐nだ！　開け！」

　ドレイク博士は、彫刻の眼を順番に押していった。

最後にナーガの眼を押すと、扉が静かに開いた。

むっとする熱い空気を感じる。

この空気は知っているぞ。スクラマサックスの洞窟と同じ感じだ。

博士は、ぼくたちにろうそくを渡してくれ、マッチで火をつけた。

ぼくたちが扉の中へと入ると、ドレイク博士は用心深く、扉を閉めた。

「あの戸口、間違った眼を押したら何かまずいことが起こるしかけになっていたのかしら？」と、ベアトリスが小さな声で聞いた。

「たぶんね」と、ドレイク博士。

入ったところは、天井の低い狭い空間だった。

そこからはドレイク博士が立って歩けるほどの高さのトンネルがのびている。

ドレイク博士を先頭にして、ぼくたちはかなり急な角度で地下へ降りていくトンネルを下っていった。

奥へ奥へと進んでいくと、いきなり目の前に広い、ものすごく広い空間が開けた。
うれしくなり、ぼくが駆け出そうとした瞬間、ドレイク博士がぼくの肩をつかんだ。

「危ない！」

下を見ると、トンネルから広間に出てすぐ先の足元に深い裂け目が開いていた。
ぼくはぞっとした。その亀裂は、かんたんに飛び越えることができるくらいの幅だったが、かなり深く、広間の奥へとずっと続いている。もちろん落ちたら最後だ。

広間の中心には台のような大きな石があった。

見上げると、ものすごく高いところにかすかにすき間があって、そこからわずかだが光が差しこんでいるので、あたりはトンネルの中ほどは暗くなかった。

あれが、大煙突なのだろうか？

目が慣れてくると、その光が広間中央の台のあたりを照らしているのがわかってきた。そこには、宝物の大きな山があった。

黄金が鈍く光っている。すごい！

スクラマサックスの宝とは比べものにならないほどの量だ。

そこには、黄金の板、杯やネックレス、そのほかにも、宝石がはめこまれた剣や宝石などが山のように積み上げられていた。

そしてその宝のてっぺんに、一番美しい宝石が輝いていた。

それは、はじめのうちはただの透明な美しい珠だったのに、ぼくたちが眺めているうちにいつのまにか少しずつ輝きを増していき、なんとかあたりが見えるくらいに明るくなった。その明るさに照らされて、まわりの黄金や宝石もどんどん輝きだし、ぼくたちはしばらくその眺めに圧倒されて、無言で立っていた。

それから、輝く宝石を指差して、ドレイク博士はうやうやしくいった。

「あれがドラゴン・アイだよ」

突然、シューという音が広間に響いた。

その頃になって、ようやくその宝のまわりにある岩のようなものが見えてきた。それはよく見ると、イドリギアでさえも小さく思えてしまうくらいの、巨大なドラゴンだった。それがその巨大な頭をゆっくりともたげ、ギラギラと輝く目で、ぼくたちのほうを見た。

「いま……、ドラゴン・アイといったのは、どの人間か？」

そのドラゴンの声は低く、しゃがれていて、ドラゴンたち特有のさびついたような、ぎこちない話し方をした。

「アーネスト・ドレイクといいます」と、博士がうやうやしくいった。

「あなたとドラゴン協会の許しを得て、ドラゴン・アイを授かりたく、やって参りました。私はどんなときであろうとも、どこにいようとも、すべてのドラゴンを守り、保護することを誓います。自由なるドラゴンのために」

「ふむ……。私はかなりの歳だ」と、ウォントリーダムはぼくたちをまっすぐ見すえ、話しだした。

「通常のドラゴンの寿命よりも、かなり長く生きている。卵から数えて、１８５０歳にもなった。人間と争うことになったとき、私はすでに成獣であった。ドラゴン協会を作り、ドラゴン・アイを守り、私と私の仲間が、その価値があると認める者だけに授けてきた。しかし、最後のドラゴン・マスターがこれを私にもどしてきたとき、彼は、信頼するにたる後継者はだれもいないといった。時代が変わったのだと――。お前が信頼するにたる者かどうか、お前はどうやって証明するのか？」

「私は合い言葉を、知っています」

と、ドレイク博士はうやうやしくいった。

「この子たちはクック夫妻の子どもたちです。いま、インドで、ナーガの病気を治そうと努力している……。名前はベアトリスとダニエルといいます」

「ベアトリス？　ダニエル？　それはまたなつかしい名前だ。クックという名も、アーネスト・ドレイクという名も聞き覚えはあるが……」

と、ドラゴンはいった。

「なぜもっとはやくにドラゴン・アイを受け取りにこなかったのだ？　私の命があるうちに来てくれてよかったが。もしお前がいま、ドラゴン・アイを欲しいというのであれば、合言葉をいうがよい。しかし、いっておくが、もし間違っていた場合には、お前はここから生きては出られないぞ！」

ドレイク博士がその言葉をいおうとしたそのとき、聞いたことのある声が、広間の上のほうから響いてきた。

「ドラコ‐ラコ‐アコドラック！」

見上げると、なんとイグネイシャス・クルックが、大煙突から、縄ばしごを伝って下りてくるではないか！

ウォントリーダムは、イグネイシャスに突風のような息を吐きかけた。

しかしイグネイシャスが一瞬はやく、ドラゴン・アイを宝の山から奪い取った。

「ドレイク！」と、ウォントリーダムが怒りの声を放った。

「なぜこの男を連れてきた？　この男がドラゴンの味方ではないことはよく知っているように！　言葉こそ知っているが、この男が富と権力のために我々を利用しようとしていることくらいは知っているぞ！　前ドラゴン・マスターである、エベニーザー自身が、そう警告していたのだからな！」

「ガーディアンを見くびるな、イグネイシャス！」と、ドレイク博士が叫んだ。

「この歯の欠けた老いぼれドラゴンをか？　ドレイク、きみには驚かされる」

イグネイシャスはそういって、大笑いをした。

ウォントリーダムは、イグネイシャスに噛みつこうとしたが、はやく動けない。

イグネイシャスはドラゴン・アイをつかみ、岩の裂け目を飛び越えて逃げた。

すると、フリッツがイグネイシャスのポケットの中からポロッと落ちた。

この小さなドラゴンは、気が狂ったように翼をバタバタとさせて、激怒している巨大なドラゴンから遠ざかろうともがいた。

「愚か者め！」ドレイク博士は叫んだ。

「全員を殺す気か？　ウォントリーダムは、お前が思っているよりはるかにすごい力を持っているんだ」

「そうだ。その力を使わせてもらおう」ウォントリーダムが怒声をあげた。

ウォントリーダムは、頭を低くし、咆哮した。

雷のようなものすごい音が、洞窟に響き渡る。

ベアトリスとぼくは、耳をふさいだ。

ウォントリーダムは頭を上げ、さらに吼えた。岩の塊がガラガラと天井からくずれ落ちてきた。まわりの地面全体が地響きをあげてゆれた。

大変だ！　このままでは洞窟全体がくずれてしまう！

ベアトリスとぼくは互いにギュッとつかまりあった。ドレイク博士も壁にしがみついている。イグネイシャスはどこにも見あたらない。

突然咆哮がやんだ。ウォントリーダムがぼくたちを見た。

「さあ、これでもうだれも逃げられぬ。４００年ものあいだ使わなかった『ドラゴンの叫び』を使ったのだ。イギリスにすむすべてのドラゴンが私を助けにくる。最初のドラゴンは、あと数分でここに着くであろう。ドラゴン・アイをどうするかは、それから考えよう」

洞窟の中が静まり返った。この静寂は、さっきの咆哮よりさらに重く、ぼくたちにのしかかってきた。だれも動くことができない。

そのとき、ぼくはアレクサンドラ・ゴリニチカがウォントリーダムのそばにいるのに気がついた。彼女は左手に奇妙なお守りを、右手には槍を握っている。

「気をつけて！」ドレイク博士がウォントリーダムに叫んだが遅かった。

　ウォントリーダムがゴリニチカに気づいた瞬間、槍がドラゴンの下腹部を深く突き刺した。黒い血が吹き出した。ウォントリーダムはうめきながら、頭をもたげてそり返り、尾を洞窟じゅうに振りまわした。

　地面が激しくゆれる。大きな岩がつぎつぎと落ちてきて洞窟がくずれ始めた。

　アレクサンドラ・ゴリニチカは、大煙突の外へと続く縄ばしごをのぼり始めた。

「アレクサンドラ、おれも助けてくれ！」イグネイシャスの声がした。

「ふん！　助かりたければ自分で努力することね」ゴリニチカは、そうあざ笑うと、背中に槍を背負ってどんどん縄ばしごをのぼっていった。

「それは、S·A·S·D·の宝物じゃないか!?」と、ぼくは叫んだ。

「そうよ。これは、スプラターファックスのお守り！　私の祖先のヴァイキング、ルーシ族の戦いのお守りよ！　私は長いあいだ、イギリス人に奪われた、この古代の宝を探してきた！　でも、ついに手に入れたわ！　８００年ものあいだ、私たちルーシ族から奪われていた宝よ！　いままでこれを奪われていたお返しに、このセント・ジョージの槍ももらっていくわ！　私が知る限り、これはアフリカのもの。そうしてこれだけが、一撃でドラゴンを殺せる武器ですものね！」

「あんたは私を助けるって約束したはずだ！」

　イグネイシャスはなりふりかまわず、ゴリニチカにすがった。

「あら、そんなことをいったかしら？　でもそんなひまはないわ。ウォントリーダムが呼んだドラゴンたちが、もうすぐここに着くでしょう。でも、その頃には私は消えているのよ」

「フリッツ、あの女をやれ！」イグネイシャスはゴリニチカを指差して叫んだ。

　フリッツは、猛スピードで上へ飛んでいったが、ゴリニチカのところまで行くと、小さく叫び、そして、穴の上の出口から外へ出ていってしまった。

　ゴリニチカはまた大笑いした。

「本当にしょうのないお馬鹿さんね。フリッツがあなたのものだなんて、まだ信じてたの？　フリッツは私の忠実な同志なのに」

ゴリニチカは大声で笑いながら大煙突をのぼり続け、上までたどり着くと縄ばしごをはずした。縄ばしごは洞窟の下へバサッと落ち、ゴリニチカは見えなくなった。

その瞬間、天井が落ちてきた。ドレイク博士はぼくたちのほうを見て叫んだ。

「トンネルへもどれ！」

ドレイク博士は、イグネイシャスのほうへ走っていこうとしていた。

「博士、もどってきて！」ベアトリスが叫んだ。

「ダメだ！　イグネイシャスがこの権力をにぎったらどうなるかわかっているだろ！　想像を絶することになるんだ！」

そういって、ドレイク博士がイグネイシャスのあとを追ったとたん、岩の雨が上から降ってきた。

ドラゴン・アイは、イグネイシャスの手から落ちて地面を転がり、岩の裂け目すれすれのところで止まった。そのときいきなりドラゴン・アイが輝きだし、洞窟じゅうをまるで昼間のように明るく照らした。

ドレイク博士がなんとか立ち上がり、取りにいこうとしたが、イグネイシャスが石で博士の頭をなぐり、博士は倒れた。

「やめて！」ベアトリスは叫んだ。ぼくはそのすきにトンネルから走り出て、ドラゴン・アイをつかんだ。ところが、真後ろにイグネイシャスも来ていた。石を手に持ち、血走った目でぼくをにらみつけた。

「私のものだ！」イグネイシャスが、絶叫した。

そして、ぼくの頭を石でなぐろうとした瞬間、ガーディアンが力を振り絞って、その巨大な尾を一振りした。イグネイシャスははね飛ばされ、ベアトリスがぼくをトンネルへ引きずりこんだ。その直後、大きな岩がくずれ、イグネイシャスとぼくたちとのあいだに、壁をつくった。

ガラガラと、つぎつぎに岩が落ちてきて、ひっきりなしに地面がゆれた。

「逃げろ！」必死に力を振り絞って、ドレイク博士が叫んだ。「ドラゴン・アイを持ってエメリーのところへ行け！　彼なら、どうすればいいかわかる！」

そのときイグネイシャスが、博士を洞窟のふちの裂け目まで引きずっていった。

「ドラゴン・アイを渡せ！　さもないと博士をここから突き落とすぞ！」

イグネイシャスが吼えた。

「行きなさい！　私のいうことを聞きなさい！」

ドレイク博士も必死になって叫んでいる。

「黙れ！」イグネイシャスは、ドレイク博士の体を半分、裂け目に突き出した。

「博士を死なせるわけにはいかないわ」ベアトリスがいった。ぼくもそう思った。

ぼくはくずれた岩でできた壁のところまで行き、ドラゴン・アイをイグネイシャスに差し出した。

「ダニエル、やめろ！　何をやっているかわかっているのか！」

「わかっているわ！」ベアトリスが叫び返した。

ぼくはドラゴン・アイを両手で持って、イグネイシャスに差し出した。

イグネイシャスは眼をギラギラさせ、ドラゴン・アイをつかんだ。

そのときガーディアンが吼え、ぼくたちと博士をさえぎっていた岩がくずれた。

ぼくたちは大急ぎで博士を抱きかかえると、裂け目を越えてトンネルにもどった。

それなのに、ドレイク博士は「イグネイシャス！　裂け目を飛び越えて、こっちへ来るんだ！」というじゃないか！

イグネイシャスは立ち上がるとドラゴン・アイを懐に入れ、目を血走らせ、口から泡を吹きながら裂け目を飛び越そうとした。そのとき地面が大きくゆれ、足を取られたイグネイシャスは、飛びそこなって裂け目に落ち、ふちに引っかかった。

ドレイク博士が必死になってイグネイシャスを引っぱり上げると、イグネイシャスは息を切らせ、ゼイゼイいいながら転がった。ドレイク博士は、トンネルのほうを指差した。もうトンネルも天井がくずれかけている。

「イグネイシャス、行くぞ！」博士は叫んだ。「この道しかない！」

ところがイグネイシャスはゲラゲラ笑いながら、トンネルとは反対へ走り始めた。

「冗談じゃない！　そうしてお前にドラゴン・アイを渡せと？　渡すものか！」

そういうと、イグネイシャスは落ちてくる岩の中に消えていった。

ぼくたちは、急いでトンネルへもどった。

ところがそのとき突然、岩の雨がやんだ。博士は「ここで、待っていなさい」というと、洞窟の中へもどっていった。短い咆哮が聞こえ、キラッと光が走った。

どうしたんだろう？

助けにいったほうがいいのかどうか、ベアトリスと顔を見あわせた瞬間、博士が走って帰ってきた。

「いまのがウォントリーダムの最期の声だった。イギリスじゅうのドラゴンは、闘うためではなく、彼女の死を悼むために集まるだろう。ここに残って、彼らに会うことができないのは残念だが、そっとしておこう。ウォントリーダムが安らかに眠れるように！」

ぼくたちはトンネルから無事に、あの扉を通って外に出ることができた。

偉大なドラゴンのために黙祷を捧げると、ぼくたちはウォーンクリフへもどった。

空一面が暗くなるぐらいのおびただしい数のドラゴンの群れが、一斉にこちらに飛んでくるようすを、ぼくは思い描いた。

見たかったけど、でも、それはぼくたちが見てはいけないもののような気もした。

第24章　ドラゴン・マスター

ドラゴン・マスターは、みずからが学ぶだけでなく、
伝授(でんじゅ)するという責任がある。

１８５２年６月　ドレイク博士の日記より

ぼくたちはドレイク城(じょう)にもどり、日々の暮(く)らしにもどっていた。

博士は、ぼくたちが回復すると、またすぐサマースクールを開始した。

もっとも、ビリーとアリシアはもどってこなかった。

ぼくたちは勉強のあいまに卵(たまご)の火の番をしたり、ジャマールの世話をしたりした。

もうジャマールは自分の囲いから逃(に)げ出さなくなったし、ぼくたちのいうこともほぼ理解するようになった。

ベアトリスは、卵はあと3週間ほどでかえりそうだ、と自信ありげだった。

どこからか、新聞の切り抜きと一緒に荷物が届いた。切り抜きには、最近何度かドラゴンが目撃され、列車を襲ったという奇妙な事件があったが、警察は、すべてこの夏の異常な暑さのせいだと結論付けた、とあった。

でも、その日ぼくはあまり楽しくはなかった。

アルジャーノン叔父さんが、ぼくたちを連れにくると、いってきたからだ。

「来年の夏も、ここに来てもいい?」ぼくは聞いた。

「もちろんだとも」ドレイク博士はほほえんで答えた。

「しかしこれは危険な仕事だからね。きみたちをあまり巻きこみたくないんだが」

博士は少しのあいだだまってから、また続けた。

「しかし、若いドラゴン学者をなるべくたくさん育てることも重要な仕事だからね。

とくに、きみたちのように才能のある子どもたちを」

ところが、やってきたアルジャーノン叔父さんは見るからに不機嫌そうだった。

「ベアトリス、ダニエル、元気そうで何よりだ。残念ながら、私は全面的に同意しがたいんだが、きみたちの両親はとても頑固でね。ドレイク博士にきみたちの先生になってもらえといってきたよ」

「うそ！」と、ベアトリスの声がはずんだ。

「それ、学校にもどらなくていいっていうこと？」

「そうだ」アルジャーノン叔父さんは続けていった。「私はそれはいけない考えだといったんだが……」

「すごい！」ぼくは叫んだ。「これからもドラゴンについて勉強できる！」

アルジャーノン叔父さんは顔をしかめた。

「ドラゴンを卵からかえして育てるのよ！」とベアトリスも叫んだ。

「そして、ジャマールが故郷へ帰る準備をするの！」

叔父さんの顔はもっと渋くなった。

「しかし、ドラゴンのことだけを学ぶわけじゃないぞ」

と、紅茶を運んできたドレイク博士がいった。

「ドラゴンについて勉強するには、ほかの科学や、語学も最低3か国語はできないとならないし、かなりの量の本も読んでもらわないといけない。学校より厳しいのではないかな。だが、本当にドラゴンについて学びたいのであれば……」

「大丈夫！」ぼくは叫んだ。「残りたい！　だよね、ベアトリス？」

「残りたいわ。でももう両親と離れているのもイヤなのよ。学校へもどらなくてよくて、二人が帰ってこられないなら、私、インドへ行きたいわ」

「大丈夫。ご両親はもうすぐここで合流することになっているんだ。いま頃はもう船の上だよ。お互いに交換しなければならない情報がたくさんあるからね」

「本当に!?　それならいいわ」ベアトリスは笑顔になった。

「お父さんたちがナーガについて教えてくれるといいなあ」ぼくは楽しみになった。

「ナーガって、いったい何だ？」アルジャーノン叔父さんが疑わしげに聞いた。

「インドのドラゴンの一種だよ」と、ぼくは教えてあげた。

すると、アルジャーノン叔父さんはあきれたように、つぶやいた。

「ドラゴンね！」

その日の夕方、アルジャーノン叔父さんが去ると、ドレイク博士はぼくたちを書斎に呼んだ。ぼくたちがいないあいだに、書斎はきれいに修理されていた。

「きみたちは今日から、正式に私の生徒となった。ということで、毎日かんたんな報告会を開くことにするよ。きみたちには何を学んだかを報告してもらい、私は、知っていることを教えて宿題を出す」

博士は立ち上がった。そして小さな収納箱に近づき、鍵を開けた。

「ドレイク博士、一つわからないことがあります」

「なんだね？」

「アレクサンドラはなぜ、ドラゴン・アイには興味を示さなかったのでしょうか？」

「アレクサンドラは、自分たちの先祖の宝だというスプラターファックスを取りもどしたかっただけなんだろう。それより、私はイグネイシャスのほうが気にかかる。洞窟に、イグネイシャスの遺体はなかった、とドラゴン協会がいってきた。ということは彼は生き延びたのだろう。そして、いまでは前よりもずっと私に復讐したいと考えているだろうからね。ほら、見てごらん！」

そう言ってドレイク博士は、小さな収納箱から光るものを取り出して、机の上に置いた。

ドラゴン・アイだ！

「えええええっ！　でも、それ、イグネイシャスが持っていったんじゃ……」

「はっはっはっ」ドレイク博士は愉快そうに笑った。

「アレクサンドラのいっていたことは、一つは正しかった。確かにイグネイシャスは愚か者だ。逃げる途中でこれを落としていったのだからな。私が、ウォントリーダムの洞窟にもどったとき、何かが光ったのに気がつかなかったかい？　ドラゴン・アイを見てごらん」

ぼくたちがドラゴン・アイをのぞきこむと、とても不思議なことが起きた。

自分たちの姿が映るのではなく、そこにはドレイク博士の姿が映っていたのだ。

「死ぬ間際にウォントリーダムがやってくれたんだ。私はつぎのドラゴン・マスターとなり、この石とともに重大な責任を背負うこととなった。しかし、もしドラゴンと人間が今後も共に生き続けていくのであれば、そして、ともに平和に共存していくのであれば、これからの私の一番大事な仕事は、私のあとに続く者を育てることだ。わたしの、つぎのドラゴン・マスターをね」

あとがき

ビクトリア時代の偉大なドラゴン学者、アーネスト・ドレイク博士が最初に注目されたのは、私が著し、２００３年前半にイギリスで出版された『Dragonology』という書物によってである。これは、その昔１００部発行された、ドラゴンをテーマとした古書の唯一の複製版であるが、日本では今人舎が『ドラゴン学』として２００５年に出版した。

『ドラゴン学』において興味深いのは、これまでのようにドラゴンを架空の生きものとしてあつかうのではなく、実際に存在する動物としてあつかっている点である。原書の最後の１冊は、ロンドンの、ドレイク博士のドラゴナリアが存在したであろう場所から遠くない、セブンダイヤルズ付近の古書店で発見された。

現代の『Dragonology』出版後、ドレイク博士による研究書がさらに複数発見されたため、それらについても同様に出版した。

ドレイク博士自身や、ロンドンおよびサセックスのセント・レオナードの森における博士の生活について、私が重ねた熱心な研究は、今回の書籍として実を結んだ。

私はドレイク博士の生涯を伝記のごとく淡々とつづるのではなく、ドレイク博士とS・A・S・D・についての話を、ダニエル・クックの立場から語ることに決めた。ダニエル・クックは、ドレイク博士を最もよく知る、博士の後輩である。この方法により、私は、実際にアーネスト・ドレイク博士と共に、ドラゴンやドラゴン学を学ぶ過程がどういったものであるかを、具体的に表現しようと試みた。

また、ドラゴンについて、そして〝神秘といにしえのドラゴン学者協会〟に関して起きた事件についても、詳細にわたりつづることを目指した。

もし今後、ドレイク博士について、博士の根気強いドラゴン保護の仕事について、さらなる情報が手に入ったときは、日本の読者にもお届けすることをお約束しよう。

ドゥガルド・A・スティール

文／赤木かんこ

1984年、子どもの本の探偵としてデビュー。

以来、子どもの本と子どもの文化全体の批評、紹介をしている。

ここ10年は、学校図書館の改装と調べ学習のやり方を考えることに、はまっている。ドラゴンは昔から好きである。

翻訳／松澤千晶

編集スタッフ／
石原尚子、長谷川未緒、阿部梨花子、原田美緒、竹内春子、古川裕子、木矢恵梨子、森部照恵、牧由佳

デザイン・DTP／西尾朗子

今人舎ドラゴン学公式サイト　http://dragon.imajinsha.co.jp/

ドラゴン・アイ　THE DRAGON'S EYE

2009年12月1日　第1刷　発行

著／ドゥガルド・A・スティール
文／赤木かんこ

編　集／中嶋舞子
発行者／稲葉茂勝
発行所／株式会社今人舎
〒186-0001　東京都国立市北1-7-23
TEL 042-575-8888　FAX 042-575-8886
ホームページ　http://www.imajinsha.co.jp

320ページ　ISBN978-4-901088-67-1